A soma e o resto:
um olhar sobre a vida
aos 80 anos

Fernando Henrique Cardoso

A soma e o resto:
um olhar sobre a vida
aos 80 anos

EM DEPOIMENTO A
Miguel Darcy de Oliveira

8ª edição

CIVILIZAÇÃO BRASILEIRA

Rio de Janeiro
2012

CIP-BRASIL. CATALOGAÇÃO-NA-FONTE
SINDICATO NACIONAL DOS EDITORES DE LIVROS, RJ

Cardoso, Fernando Henrique, 1931-
C262s   A soma e o resto : um olhar sobre a vida aos 80 anos / Fernando
8ª ed.   Henrique Cardoso ; organização Miguel Darcy de Oliveira. – 8ª ed. – Rio de
Janeiro : Civilização Brasileira, 2012.

ISBN 978-85-200-1084-6

1. Cardoso, Fernando Henrique, 1931- . 2. Presidentes – Brasil –
Biografia. 3. Brasil – Política e governo. I. Oliveira, Miguel Darcy de.
II. Título. III. Título: um olhar sobre a vida aos 80 anos.

                                                CDD: 923.181
11-7276   CDU: 929:32(81)

Direitos desta edição adquiridos pela
EDITORA CIVILIZAÇÃO BRASILEIRA
um selo da
EDITORA JOSÉ OLYMPIO LTDA.
Rua Argentina 171 – 20921-380
Rio de Janeiro, RJ – Tel. 2585-2000

Seja um leitor preferencial Record.
Cadastre-se e receba informações sobre
nossos lançamentos e nossas promoções.

Atendimento e venda direta ao leitor:
mdireto@record.com.br ou (21) 2585-2002

Impresso no Brasil
2012

EDITORA AFILIADA

Sumário

Prefácio

Miguel Darcy de Oliveira

A soma e o resto: um olhar sobre a vida aos 80 anos é uma homenagem aos 80 anos de um grande brasileiro. Marco na vida de qualquer ser humano, esse foi para Fernando Henrique Cardoso um momento particularmente feliz, na medida em que seu aniversário coincidiu com a celebração de seu papel histórico na construção do Brasil contemporâneo.

Este livro reconstitui o conteúdo de mais de dez horas de conversas gravadas em seu apartamento de São Paulo de maio a julho de 2011, com adendos extraídos de outras entrevistas já publicadas. Inclui também o texto integral do artigo que dá nome ao livro, *A soma e o resto*, publicado em sua coluna nos jornais *O Estado de S. Paulo* e *O Globo* no dia em que completava 80 anos.

Nas falas que dão corpo ao livro ouve-se a voz do intelectual, do político e também do homem comum, filho, esposo, pai e avô, às voltas com a espessura do real e a memória. Nelas emerge sua visão de hoje sobre o Brasil e o mundo, iluminada pela constante curiosidade frente ao novo, guiada pelo "viés da esperança" e voltada sempre para o futuro.

Fernando Henrique é um ótimo conversador e exímio contador de histórias. Por isso, optei por manter o tom coloquial da entrevista. Embora revistos cuidadosamente pelo autor, os textos reunidos no livro são muito mais a expressão de uma conversa em torno de uma mesa do que artigos acadêmicos ou ensaios sisudos.

O livro está estruturado em dez capítulos, divididos em três grandes blocos. No primeiro, *Caminhos*, Fernando Henrique rememora suas raízes familiares e influências formadoras, os pontos de virada que marcaram sua trajetória de intelectual público, seus sonhos de um mundo melhor e a necessidade da utopia, tal como vividos por um "cartesiano com pitadas de candomblé".

No segundo, *Mapa-múndi*, fala sobre as mudanças aceleradas e surpreendentes que perpassam a sociedade brasileira e o mundo contemporâneo. Um dos capítulos desse bloco aborda um tema de imensa atualidade não só no Brasil, mas praticamente em toda parte: a crise da política e a possível revitalização da democracia a partir da sociedade. Outro capítulo reconstitui a agenda de novos temas globais aos quais Fernando Henrique vem dedicando seu tempo e sua energia desde o término do mandato presidencial. O leque de áreas de interesse é variado, indo da busca da melhor resposta à ameaça do terrorismo à penosa gestação de mecanismos de controle dos desvarios do sistema financeiro. Da procura incansável da paz no Oriente Médio ao debate sem medos e preconceitos sobre como lidar de modo humano e eficiente com as drogas. Na abordagem desses temas, uma vez mais Fernando Henrique se reinventa ao inaugurar uma forma inédita de "ser" ex-presidente da República.

No terceiro bloco, *Luzes e sombras*, faz uma reflexão de caráter mais íntimo sobre alegrias e tristezas, razões de orgulho e de arrependimento. Relembra a importância do afeto e o sofrimento com as perdas inevitáveis. Enfrenta questões que nos inquietam a todos, como religiosidade e mistério, sentido da vida, morte e memória.

Certos temas aparecem de forma recorrente ao longo de todo o livro. O esforço de captar o novo, o emergente, o inesperado, a visão da política como arte de ampliar o campo do possível, a coragem de assumir riscos, a tensão permanente entre audácia e razão, ousadia e pragmatismo, a tentativa de decodificar os mecanismos pelos quais se move a sociedade contemporânea, a noção de mudança por acumulação, e não mais por ruptura, as ameaças de regressão autoritária são como balizas que demarcam a trajetória de uma vida, de um pensamento, de uma obra.

Numa das últimas gravações, indagado sobre o que teria a dizer aos jovens, Fernando Henrique surpreende. Os jovens informados e conectados de hoje, diz ele, sabem tantas coisas novas que mais importa ouvi-los, "não dizer a eles, mas com eles".

Perguntado sobre como gostaria de ser lembrado, invoca sua postura como governante, mais do que essa ou aquela política, por relevante que tenha sido: "Não prendi ninguém, não fui violento, exerci o poder democraticamente, ajudei a criar as condições de um futuro melhor para o Brasil."

Fernando Henrique governou como sempre viveu: como um democrata. O fio de sua vida passa pelo exílio, pela volta ao Brasil e decisão de construir a resistência democrática, entrada na política e coragem para assumir o Ministério da Fazenda em tempos de inflação descontrolada, exercício democrático da Presidência, transição republicana e envolvimento com temas que interrogam o mundo contemporâneo.

A democracia, grande causa de sua geração, alicerçada na liberdade e na justiça, continua a guiar seus passos. Que assim seja por muitos e muitos anos.

Apresentação

Fernando Henrique Cardoso

As páginas que seguem são o resultado de entrevistas, de respostas a perguntas ou de falas soltas registradas em um gravador em tom de quase desabafo ou de reações perplexas diante das transformações do Brasil e do mundo. Com exceção de uns poucos textos escritos com mais cuidado para serem publicados como artigo ou em resposta a algum questionamento, trata-se de falas espontâneas e não de respostas muito cuidadas. Fragmentos díspares, a maioria dos quais me pegam "desarmado", isto é, sem posar de "sociólogo" ou de "líder político".

Apesar disso, quando reli o volume vi que possui certa unidade. Explica-se: quem o organizou, Miguel Darcy de Oliveira, integrou os diversos textos. Como conhece razoavelmente bem meu raciocínio, pinçou aqui e ali pensamentos quase soltos, mas que, provindos das mesmas inquietações e da mesma mente, não poderiam ser tão disparatados como eu temia. Agradeço, pois, ao Miguel, uma vez mais, ter sabido dar continuidade ou complementariedade a observações que fiz aleatoriamente.

Este livro talvez seja o mais espontâneo que já publiquei. Quase nunca falo de meus sentimentos, angústias, relações pessoais e familiares. Guardando a reserva que é própria de meu modo de ser, deixo transparecer em certas páginas algo mais pessoal. Provavelmente mais do que em outras publicações, com exceção de uma ou outra entrevista, cujas declarações mais subjetivas reaparecem neste volume.

Resisti sempre a escrever autobiografias, mesmo intelectuais. Se viver muito mais tempo talvez quebre a resistência a tal proeza e venha a publicar algo sobre minhas experiências mais diretas ao lidar com pessoas, ideias e situações. Neste livro não faço isso. Apenas, imbuído pelo ardor dos 80 anos, me dei o direito de falar mais francamente sobre temas sobre os quais tenho trabalhado depois que deixei a Presidência. Isso não quer dizer que em outras publicações eu não tenha sido franco ou tentado ser veraz. Quer dizer apenas que a linguagem coloquial usada levou-me a ir mais diretamente aos pontos, sem me preocupar com fundamentar por demais os argumentos ou vestir as frases com a roupagem adequada a um "catedrático", ainda que aposentado, e menos ainda a um ex-presidente cuja voz, já mais debilitada, ainda se faz ouvir em alguns círculos políticos.

Até o falecimento da Ruth, era ela quem lia o que eu escrevia antes da publicação. Depois de suas críticas entregava os textos, alternadamente, a dois ou três fiéis colaboradores cujos cuidados permitiam expurgar erros ou exageros. No caso deste livro não houve isso. Descontado Miguel Darcy, que é semiautor, passei o manuscrito, ou melhor, o arquivo, como se diz agora, somente a uma pessoa. Pedi que meu velho amigo Leôncio Martins Rodrigues desse uma espiada no volume. Leôncio foi franco: "O livro é interessante, discorre sobre algumas situações novas. Mas não seria melhor desenvolver mais solidamente os argumentos, cortar algumas repetições? Ou pelo menos entremear as páginas com perguntas para deixar claro que você está falando e não escrevendo?" Talvez ele tenha razão. Mas a esta altura da vida tenho o direito de ser um pouco preguiçoso e também de ter a ousadia de me mostrar sem muita maquiagem.

Deixei os textos como estavam, mas não deixo de anotar que muito do que se vai ler foi gravado, e não propriamente escrito, por mim. São minhas as palavras e, se existirem, os pensamentos. Mas a forma é meio bamba. Há repetições e descontinuidades. De propósito, para que a leitura seja descontraída, como se estivessem me ouvindo conversar e não lendo um livro que escrevi.

Na parte dos agradecimentos, apenas duas anotações. A primeira é sobre o Grupo Editorial Record (Editora Civilização Brasileira), na figura de seu principal responsável, Sergio Machado, e seus colaboradores, dentre os quais cito Luciana Villas-Boas, que têm sido encorajadores e pacientes comigo.

Por fim, se não fossem tão numerosos, dedicaria este livro a antigos companheiros (por antigo, entenda-se, pelo menos quarenta anos de convívio, não sendo poucos os que alcançam os 60 anos). A vida intelectual e pública se faz com um grupo de apoio. Não de seguidores ou incondicionais, mas de pessoas que compartilham valores, são abertas ao diálogo franco e mantêm a amizade a despeito de muita coisa. Não me furto ao prazer de alinhar alguns nomes, incorrendo na injustiça de não haver citado tantos outros: além do já mencionado Leôncio, o José Arthur Giannotti, o Boris Fausto, o Celso Lafer, o Pedro Malan, o José Serra, o Francisco Weffort, o Luiz e a Regina Meyer, o Pedro Paulo Poppovic, a Lourdes Sola, o Bolívar Lamounier, o Roberto Schwarz e também alguns amigos menos próximos hoje, como Fernando Novais e Paul Singer, que participaram ativamente no passado de muitas discussões político-intelectuais. Há outros, alguns dos quais meus ex-alunos, com quem a convivência direta foi menor, mas que me ajudam a compreender a diversidade das situações sociais. Menciono apenas um, José de Sousa Martins. É justo não esquecer também dos muitos que se foram, a começar pela Ruth e pelo Vilmar Faria e, mais recentemente, o Paulo Renato e o Juarez Brandão Lopes.

Nenhum dos amigos citados tem qualquer responsabilidade pelo que digo neste volume. Alguns terão acerbas críticas. Mas pertencem, *grosso modo*, à mesma geração político-intelectual, apesar de certa variação de idade, tendo vivido experiências vitais comuns. Não se pensa no isolamento, mas em uma teia de relações. Por isso, devo muito a todos eles, mesmo àqueles dos quais haja eventualmente (ou até mais permanentemente) discordado. A todos sou imensamente grato.

É a curiosidade que
me move. O sentido
que dei à minha vida
foi tentar perceber o
que vem de novo por aí.
Não me preocupo muito
com o que já está.
A gente pensa que vai
ocorrer o inevitável
e vem o inesperado.

Caminhos

Sou cartesiano, mas com pitadas de candomblé. Acasos, acidentes, escolhas, capacidade
para assumir riscos... os pontos de inflexão
na minha trajetória são um misto de tudo isso.

Raízes e influências

Raízes

Meu pai era um homem inteligente, mas acho que minha mãe, Nayde, era ainda mais alerta. Era uma pessoa extremamente independente. Num tempo anterior ao feminismo, fazia questão de viver sua vida ao seu jeito. Tinha maior capacidade do que meu pai para perceber as intenções de outras pessoas; sempre foi capaz de diferenciar o bem do mal. Minha mãe foi uma influência muito forte na minha vida.

Minha avó também foi muito importante. Mãe do meu pai, mulher carioca, nascida no século XIX, era agnóstica. O que não era usual. Pessoa opiniática, forte e mandona. Eu tinha uma ligação muito estreita com ela.

Na verdade, minha mãe, claro, tinha tensão com a sogra. Eu nasci na rua 19 de Fevereiro, quase esquina da São Clemente, no bairro de Botafogo, no Rio. Depois fui morar na casa da minha avó, na rua Bambina, no mesmo bairro. Uma das minhas memórias mais presentes de infância é a do dia em que saímos de lá e fomos morar em outra casa, com meus pais, sem minha avó. Foi um desespero.

Tenho uma imagem de infância, portanto, de ruptura. Eu era o primeiro filho, meu pai era 14 anos mais velho do que minha mãe, tinha várias tias e tios, morávamos todos juntos, eu era o neto preferido. Havia disputa sobre mim. Eu provavelmente gostava de desfrutar dessa posição privilegiada diante dos primos, primeiro, depois frente aos irmãos.

Mulher forte e independente, minha mãe se opunha, de alguma maneira, ao estilo da casa da minha avó. O marido da minha avó era marechal, tinha participado ativamente da vida pública brasileira desde a Abolição, República, revoluções etc. Lá em casa havia discussão política o tempo todo.

Quando veio a Revolução de 32 — disso, é claro, só me lembro de ouvir falar — o meu tio-avô, irmão do meu avô, era ministro da Guerra de Getúlio Vargas. Meu pai ficou do lado de São Paulo, embora trabalhasse no gabinete do tio como oficial. A briga política em casa era intensa. A discussão política era o pão nosso de cada dia.

Era uma família tradicional brasileira. Não rica, mas com prestígio e influência. Desde o Império. Meu bisavô já havia sido governador de Goiás, com o título honorífico de brigadeiro. Comendador da Ordem da Rosa, senador estadual, deputado, governador duas vezes da província.

Esse substrato tinha tudo para ser aquele que tivesse ficado mais forte em mim. Minha mãe não vinha desse meio. Meu avô materno era descendente de espanhóis e a mulher dele de família mais tradicional de Alagoas, Costa Rêgo. Meu avô materno se chamava Silvestre Domingues de Araújo e Silva. Era pequeno comerciante. Mudou-se para Manaus no *boom* da borracha e minha mãe nasceu no Amazonas.

A experiência de vida de minha mãe era muito diferente da vivida pela família do meu pai. Embora meu avô materno fosse um homem ilustrado. Lia bastante, era maçom. Da literatura tirou a ideia de dar à minha mãe o nome de Nayde: referia-se às Nereidas do Tejo. Minha mãe estudou num colégio de freiras, chamadas de Doroteias, em Manaus, mas não tinha a mesma experiência da família do meu pai. Na verdade, ela se opunha a essa tradição, era muito mais espontânea. Eu não sou espontâneo, mas a presença da minha mãe na construção da minha personalidade foi mais marcante.

Quando escrevo falo mais de meu pai. Entretanto, foi minha mãe que me marcou mais fortemente. Teve influência marcante na construção de minha personalidade.

Meu pai era liberal, de temperamento. Pessoa afável, muito bom conversador. Foi sempre progressista. Fez parte do grupo dos "tenentes" das revoluções de 1922 e 1924, mas, que eu me lembre, não tinha o autoritarismo dos tenentes. No final da vida foi deputado por São Paulo pelo Partido Trabalhista Brasileiro, de Getúlio Vargas, com apoio dos sindicatos e do Partido Comunista. Não por qualquer influência de tipo marxista ou comunista, mas sim pelo lado do nacionalismo e um pouco pela ideia tenentista de um Estado fortalecido.

Em minha casa a discussão política era o pão nosso de cada dia. Minha formação intelectual foi de elite, mas meu treinamento foi de lidar com a população. Esse lado de sociólogo de campo me ajudou muito na política.

Como pessoa meu pai era bastante igualitário. Mas não tinha audácia. Minha mãe tinha. Era uma dessas mulheres que têm coragem, enfrentam, brigam, fazem as coisas. É curioso que, quando escrevo, faço referência ao meu pai. Ele fez mais coisas, deixou mais coisas. Me deu mais conselhos. Teve evidentemente muito mais presença na vida pública. Mas na vida pessoal a influência preponderante foi a da minha mãe.

Economicamente nunca pertenci à elite. Meu pai era militar e advogado. Classe média, portanto. Minha formação intelectual foi de elite, mas meu treinamento foi de lidar com a população, negros, operários etc. Esse lado de sociólogo de campo me ajudou bastante na política.

Influências

Meus primeiros anos de escola foram no Rio de Janeiro. Em seguida vim com meu pai para São Paulo e estudei o primário no Ginásio Perdizes e o secundário no Colégio São Paulo, com pequena interrupção entre 1943 e 1944, quando meu pai foi uma vez mais transferido para o Rio. Pouco antes do fim da guerra mundial meu pai se mudou para São Paulo e teve que se aposentar por motivos de saúde, com a patente de general.

Meus anos de adolescência coincidem com a transformação de São Paulo numa grande metrópole. Fui um pouco um estranho em São Paulo por ser carioca, mas me sinto mais paulista do que carioca. Sempre gostei de literatura e de arte. Junto com amigos criamos círculos de leitura e tentamos fazer uma revista literária. Publiquei poemas no primeiro número de uma publicação chamada *Revista dos Novíssimos*. Não chegou a haver um segundo número...

Num período de férias com amigos em Lindoia, conversei com um senhor idoso e distinto que lia livros que atraíram minha atenção. Tratava-se de um eminente professor de literatura, Fidelino de Figueiredo, exilado de Portugal. Foi ele quem me recomendou cursar a Faculdade de Filosofia, Ciências e Letras da Universidade de São Paulo. E também um professor de geografia no Colégio São Paulo, professor Roque, que cursara a Faculdade de Filosofia e sofrera a influência dos franceses criadores da "geografia humana" (Pierre Mombeig, Deffontaines etc.).

Tinha em mente ir para a USP, mas não tinha definido meu campo de estudo. Poderia ter cursado direito, caminho tradicional naquele tempo para boa parte da elite brasileira. Acabei na Faculdade de Filosofia, como Fidelino de Figueiredo havia sugerido, e dentro dela gravitei para a sociologia.

Nos anos 1950 a temática da sociologia na USP, liderada por Florestan Fernandes, era pouco ligada aos problemas políticos do país. Florestan tinha publicado trabalhos sobre folclores, sobre os índios tupinambá, com muito pouco a ver com o debate nacional da época.

O ideal de vários professores era transformar a USP numa grande universidade, como Heidelberg, na Alemanha, onde imperasse a reflexão rigorosa. A formação que eles transmitiam se opunha à visão anteriormente prevalecente, que era a do ensaísmo nas ciências sociais. Por ensaísmo, eu me refiro a

Gilberto Freyre, até certo ponto ao próprio Sérgio Buarque de Hollanda. Mesmo Oliveira Viana era considerado dentro dessa categoria.

Ensaístas são pessoas que veem coisas importantes, mas não se preocupam tanto com seu fundamento empírico (expressão tipicamente "florestânica"). Havia muito a preocupação de precisar que uma coisa é a ciência e outra são as visões políticas, ideológicas, valorativas.

Florestan nos ensinava o rigor científico. Quando comecei meus estudos, no início dos anos 1950, prevalecia ainda uma visão apoiada nas análises durkheimianas, por causa do Fernando de Azevedo. Líamos Descartes nos cursos de filosofia, um pouquinho de Kant (que eu não entendia) e bastante Durkheim. Depois veio Weber. Marx muito mais tarde. Nessa época, Florestan não nos dava cursos de dialética ou de marxismo. Estava interessado na construção do método funcionalista. Tínhamos que ler Talcott Parsons, Robert Merton.

Ao escrever, mais tarde, o *Fundamentos empíricos da explicação sociológica*, Florestou valorizou Durkheim, Weber e Marx. Para estudar os processos que são reiterativos, repetem-se, aplica-se Durkheim; para captar o sentido e interpretar a ação social, Weber; para analisar as grandes transformações histórico-estruturais, Marx.

Havia variantes. Roger Bastide, que teve muita influência sobre mim, tinha outra visão. Era um sociólogo interessante. Não era durkheimiano, tivera formação religiosa protestante e nos fazia ler, de modo eclético, Bergson, Mannheim, os psicanalistas, os psicólogos sociais, sempre com uma perspectiva aberta. Havia também a presença de Antonio Candido. Assisti ao curso de Weber com Antonio

Florestan nos ensinou que uma coisa é a ciência e outra as visões políticas e ideológicas. Tinha medo de que ficássemos com uma visão retórica e abstrata.

Candido, que era diferente dos outros professores: tinha um pé um pouco mais no ensaísmo. E Fernando Azevedo era fiel ao positivismo sociológico.

Quando fui assistente da professora Alice Canabrava, na Faculdade de Economia, antes mesmo de terminar o curso de ciências sociais, dei aulas de história econômica da Europa. Eu tinha lido *A história econômica geral* do Weber e conhecia o Werner Sombart.

A certa altura, eu e Alice nos desentendemos: ela fazia pesquisa histórica rigorosa, usando uma quantidade infernal de dados. Eu não entendia bem aonde ela queria chegar. Foi então que ela me disse: "Você é como Antonio Candido, vocês nunca vão ser cientistas." Achei um elogio...

Da metade para o fim da década de 1950 São Paulo estava em processo acelerado de transformação: greves, protestos, Getúlio, Juscelino, e nós um tanto isolados desse mundo em ebulição. Estávamos começando a estudar a estrutura das classes e por aí entrou também um pouco de Marx.

Marx entrou na USP com a minha geração, não com a geração do Florestan. O estudo de Marx, que iniciamos com José Artur Giannotti, Octavio Ianni, Paul Singer, Fernando Novaes e tantos outros, não veio da universidade, veio dos seminários que fizemos sobre Marx, em nossas casas. Um dia Florestan me disse: "Vocês vão acabar como aquele velho" — o velho era Lukács.

São Paulo e o Brasil estavam em ebulição no fim da década de 1950. Marx entrou na USP com a minha geração.

Florestan tinha medo de que ficássemos com uma visão baseada em categorias abstratas, e não na análise de processos. Tinha razão. Corríamos o risco de ficar com uma visão retórica, abstrata, das coisas.

Nessa época a política chegava até mim por meu pai, que era deputado federal, não pela universidade. Mais tarde, quando estudei os empresários e o desenvolvimento econômico, eu me aproximei mais da política. No final da década de 1950, criamos o Centro de Estudos de Sociologia Industrial e do Trabalho (Cesit), do qual fui diretor, com apoio financeiro do Fernando Gasparian, que presidia, como interventor nomeado pelo Jango Goulart, a Confederação Nacional das Indústrias.

Coloquei o Cesit na cadeira do Florestan e desenvolvemos um programa de pesquisas interagindo com o mundo. Eu fui estudar os empresários, Octavio Ianni foi estudar a máquina estatal, Maria Sylvia de Carvalho Franco, os homens livres na sociedade escravocrata e escreveu uma bela tese, e havia ainda Marialice Foracchi. Leôncio Martins Rodrigues e José de Souza Martins, assim como Gabriel Cohn e Gabriel Bolaffi, trabalharam como assistentes. Juarez Brandão Lopes estava próximo do grupo.

> **Touraine leu nossos trabalhos e comentou: "Vocês estão descrevendo o Brasil como se fosse a Europa. Aqui o Estado tem mais força do que as classes e a ideia de nação é central."**

Quando George Friedmann, grande *patron* da sociologia do trabalho francesa, visitou nosso Departamento de Sociologia, como eu tinha automóvel e falava francês, ciceroneei-o por São Paulo e fiquei bastante próximo dele. A certa altura, ele disse: "Vocês precisam de uma pessoa mais jovem aqui, vou mandar um assistente meu." Era o Alain Touraine.

Touraine chegou, leu nossos trabalhos e comentou: "Vocês estão descrevendo o Brasil como se estivessem na Europa, com classes sociais bem-estabelecidas. Aqui não é bem assim. O Estado tem mais força do que as classes, a ideia de nação é central." Touraine sempre teve essa preocupação com a nação e o Estado. Elogiou o que tínhamos feito, mas botou uns pontinhos de dúvida no nosso nascente marxismo com sabor de Sena. Ele me influenciou muito.

Entre 1949 e 1955 tive um período de aproximação com o Partido Comunista. Nessa altura eu era muito amigo do Fernando Pedreira, casado com Renina Katz, na época ambos eram comunistas. Escrevi artigos para a *Revista Brasiliense*, dirigida por Caio Prado Júnior e tocada por Elias Chaves Neto. Não era a revista do partido, mas era próxima.

A desilusão veio rápida. Quando houve a invasão da Hungria em 1956, assinei um manifesto de protesto. Já estávamos muito desiludidos.

Não me esqueço da visita que fiz à casa do Paulo Emílio Salles Gomes com Agenor Parente, Pedreira, Eduardo Sucupira. Estávamos indignados com o que estava acontecendo na União Soviética. O Paulo Emílio disse: "Mas só agora?" Cada geração tem o seu momento de desilusão. Não éramos estritamente militantes, nem éramos marxistas.

Fui nacionalista por influência de meu pai. Participei na luta pelo "petróleo é nosso". Mas isso não entrava nos estudos, não influenciava os escritos. O grande tema que nos levou à participação política na USP foi a defesa da escola pública. Florestan foi o chefe. Ele, Fernando Azevedo, Antonio Candido. Tínhamos uma visão republicana: num Estado laico, a escola tem que ser pública e democrática.

Fomos ler Marx mais tarde e a leitura não teve conexão com o movimento político. Foi uma leitura ao espírito da antiga USP, acadêmica, que teve influência sobre os nossos livros, a começar pela minha tese de doutorado: *Capitalismo e escravidão no Brasil Meridional.*

Pontos de virada

Quais elementos pesam mais nas decisões que tomamos? Acaso, acidentes, circunstâncias, escolhas, capacidade para assumir riscos... os pontos de inflexão na minha trajetória foram um misto de tudo isso.

Estudar ciências sociais, e não direito, descobrir o mundo na França no início do anos 1960, ser obrigado a deixar o Brasil pela força, descobrir a América Latina e participar do Maio de 1968, voltar para o Brasil, conquistar a cátedra e ser cassado, assumir os riscos de ficar aqui e criar as condições para continuar a pensar com liberdade, tecer a teia da resistência democrática, ampliando o campo do possível, entrar na política... essas opções que definem um percurso de vida, tudo isso me fez ver que a razão pesa muito, mas, de repente, acontece o imprevisto.

A gente pensa que vai vir o inevitável e ocorre o inesperado. Não dá obviamente para prever o acaso, o inesperado. A sociologia é uma maneira de ver o mundo em que a gente se esforça por ver o que se repete, as estruturas, o que são leis. Eu, na verdade, sempre me interessei mais pelo que vai surgir, e o que vai surgir não é ciência. É capacidade de antever. Tem algo a ver com a literatura, com a poesia, com a pintura ou com as descobertas científicas em geral.

O fato é que tudo isso me deu uma flexibilidade grande. O Francisco Weffort cap-

> A gente pensa que vai vir o inevitável e vem o inesperado. Ser realista é reconhecer o emergente, o que surge de repente, e saber se adaptar a isso.

tou isso bem ao dizer, na saudação que me fez quando ganhei o título de professor emérito da USP. Ele fez um discurso dizendo que minha sociologia se voltava para o emergente. É verdade.

De alguma maneira continuei sendo um ser racional e um realista. Ser realista implica também reconhecer que existe o inexplicável. O que surge. O de repente. É preciso saber se adaptar a isso.

Ciências sociais e colapso do socialismo real

A primeira inflexão, ou virada, mais simplesmente, foi quando, quase por acaso, em vez de fazer direito fui fazer ciências sociais e me deslumbrei com a Faculdade de Filosofia, com o contato com as ideias e a cultura que os professores franceses tinham trazido. Muitos deles ainda estavam na faculdade. Roger Bastide, Paul Hugon, depois o Charles Morazet. E sobretudo a influência do Florestan, que foi decisiva na minha formação e, mais do que isso, na minha motivação.

A segunda inflexão foi a tentativa de participação política e a descoberta do fracasso do socialismo real. Ninguém imagina hoje o que foi aquilo: uma destruição em massa de sonhos. Estou falando de meados dos anos 1950: relatório Kruschev denunciando o estalinismo e depois o esmagamento da revolta da Hungria pelas tropas soviéticas.

Houve muita gente que simplesmente não acreditou que o relatório Kruschev fosse verdade. Agildo Barata, por exemplo, velho militante comunista, um dos oficiais comunistas revoltados em 1935 contra Getúlio, foi à casa do meu pai chorando e dizendo que isso não podia ser verdade. Mas os fatos aconteceram e forçaram uma revisão profunda das coisas.

No início dos anos 1960, com a ida para a França, foi muito importante para mim a descoberta prática desse mundo que eu conhecia pelos livros. O encontro com os grandes professores Alain Touraine, Raymond Aron, Michel Crozier, Georges Gurvitch. Pouco antes, tinha conhecido o Sartre quando de sua vinda ao Brasil. Seu livro *Question de méthode* suscitou alguma discussão sobre a possibilidade de juntar o existencialismo com o marxismo.

Exílio e descoberta da América Latina

Evidentemente outro grande ponto de virada foi o golpe de 1964, o exílio e a descoberta da América Latina. O tema da democracia me foi colocado na carne com o golpe militar e o exílio. O exílio foi um fato muito violento, para mim quase incompreensível.

Eu estava na universidade, era socialista em sentido genérico, não militava em uma organização partidária. Embora tivesse ligações com gente vinculada ao governo, basicamente Darcy Ribeiro, que era meu amigo, eu não me sentia, nem anímica nem intelectualmente, próximo ao João Goulart.

O populismo nunca foi um fenômeno bem-visto na USP e o Jango para nós era o populismo. Líamos a sociedade pela lente da teoria de classes e o Jango não sabíamos bem o que era.

Ser arrancado do seu país é uma coisa muito forte, é uma violência emocional muito grande. Acho que toda pessoa que viveu o exílio tem essa sensação: não existe doce exílio, por melhor que seja a situação do exilado, não adianta, você foi posto para fora de seu país. E eu havia sido posto para fora pelos militares.

> Todo exílio é uma terrível violência emocional. Fui posto para fora do país pelos militares e pelo Exército, que para mim era como se fosse a família, nunca um poder agressor.

O Exército, para nós em casa, desde criança, era como se fosse a família, era como estar em casa, nunca um poder agressor. Na minha cabeça, quando criança, adolescente, era o esteio da pátria.

Por obra e graça do golpe de 1964 fui parar no Chile. Foi um novo momento de ampliação de horizontes similar ao que tinha sido a entrada na Faculdade de Filosofia.

Na França descobri o mundo que conhecia pelos livros. O golpe de 1964 me levou ao exílio e no Chile descobri a América Latina.

O Chile naquela época era um deslumbramento. Em Santiago, entrei em contato com intelectuais de toda a América Latina, muitos deles exilados. O Celso Furtado morou um tempo comigo em Santiago, depois foi para os Estados Unidos. Weffort e eu ficamos um bom tempo no Chile. Através do Celso conheci Raúl Prebisch, depois Osvaldo Sunkel e, mais tarde, Aníbal Pinto.

Pela primeira vez caí na realidade latino-americana. Até então minha realidade tinha sido a do Brasil em contraposição com o mundo e o mundo era a França ou os Estados Unidos. No Chile conheci as diferenças e similitudes da América Latina e isso teve um efeito muito grande. A experiência chilena relativizou minha visão do Brasil e de sua aparente excepcionalidade.

Nesse momento descobri ou redescobri, não sei, que éramos latino-americanos. Conceito estranho a nós brasileiros de minha geração, educados olhando para a Europa. No Chile, havia uma vida intelectual muito intensa em torno da Cepal [Comissão Econômica para a América Latina, da Organização das Nações Unidas]. As figuras predominantes eram as de Raúl Prebisch, argentino, e José Medina Echevarría, sociólogo espanhol exilado.

Os temas centrais eram o desenvolvimento, o papel do Estado, o crescimento com mudança estrutural e as condições que o tornariam possível ou não. Não era uma discussão político-partidária, mas sim um debate sobre uma temática contemporânea.

Aí descobrimos que para pensar sobre o Brasil era preciso ampliar o foco para a América Latina e sentir o que está ocorrendo no próprio globo.

A globalização, sem esse nome, já estava acontecendo. Quando escrevi sobre desenvolvimento e dependência, estava polemizando para dentro e para fora da Cepal. Para fora, com as teorias comunistas sobre o imperialismo, que eram incorretas para compreender o tipo de associação que se estava estabelecendo entre o centro e a periferia do capitalismo daquela época, que pouco tinha a ver com os processos ocorridos no século XIX.

Conheci Salvador Allende — o presidente quando cheguei era um conservador, Jorge Alessandri, depois veio o Eduardo Frei, democrata-cristão. A filha do Allende, Isabel, foi minha aluna.

Mais ou menos nessa época saem os textos do Che Guevara e o livro do Régis Débray sobre a guerrilha e o castrismo — *A revolução dentro da revolução*. Eles não influenciaram os debates na Cepal nem a mim, mas tiveram um peso avassalador e influenciaram a leitura que se fez do meu livro *Dependência e desenvolvimento na América Latina*, corredigido com Enzo Faletto, outro grande companheiro e notável intelectual.

Produziu-se uma leitura errada do que escrevemos sem entender o sentido que dávamos à noção de desenvolvimento associado (entre o centro e a periferia) e enfatizava a ideia de dependência como algo impeditivo do desenvolvimento. O argumento do Che tinha uma finalidade política explícita: justificar a estratégia "foquista" rumo à revolução socialista.

Maio de 1968: a mudança por curto-circuito

Em 1968 mudei-me do Chile para a França. Em Paris vivi a experiência do Maio de 1968, que teve em mim um impacto semelhante à da derrubada do Muro de Berlim 21 anos mais tarde. A queda do muro e o colapso da União Soviética foram o último ponto do processo iniciado pela invasão da Hungria e o relatório Kruschev.

Maio de 1968 me fez perceber que havia mudanças que não se davam por uma ruptura revolucionária, e sim pelo acúmulo de insatisfações, até que um fio desencapado dá um choque que, por contágio, pode provocar um curto-cïrcuito geral.

Maio de 1968 não quebrou a estrutura política, mas mudou condutas, valores. Foi uma experiência que mudou minha própria cabeça, a maneira de ver as coisas.

Percebi também a força do inesperado. Maio de 1968 não foi uma "revolução" no sentido de quebrar as estruturas sociais e econômicas, foi outra coisa. Foi uma revolução existencial, uma revolução no plano dos valores e dos costumes.

Essa é a grande diferença entre Maio de 1968 e a queda do Muro de Berlim em 1989 ou a tomada do Palácio de Inverno em 1917. As revoluções políticas partem para quebrar e refazer as estruturas. Maio de 1968 não quebra nenhuma estrutura, mas muda condutas, valores. Muda a disposição anímica de uma sociedade. Para mim mudou a minha própria cabeça, a maneira de ver as coisas.

Resistir era preciso

A outra grande virada foi quando voltei a participar da vida política de forma construtiva, ajudando nas eleições de 1974 o MDB na luta pela democracia, processo que vai culminar no movimento pelas Diretas Já. Nesse momento foi preciso deixar de ser "principista" para tentar ampliar o campo do possível.

Eu tinha voltado para o Brasil no segundo semestre de 1968. Voltei com a sensação de que havia aprendido muito e que era hora de compartilhar. Eu tinha então 37 anos, tinha vivido toda a experiência da Cepal e era professor na Universidade de Paris.

Voltei, fiz concurso e ganhei a cátedra na USP. Controvertidamente. Não pelo mérito da vitória, mas porque éramos todos contra o sistema da cátedra vitalícia. No entanto, concorrer à cátedra era a única maneira de me inserir na estrutura da universidade. Sérgio Buarque de Hollanda foi o grande garantidor desse processo e, por trás, Florestan Fernandes.

Seis meses depois fui aposentado pelo AI-5. Era o pior período da ditadura militar. De um lado a luta armada, do outro tortura e repressão. Recebi imediatamente convite do *doyen* de Nanterre, Paul Ricoeur, para voltar para lá. Recebi também convite do Richard Morse para ir para Yale.

A decisão de ficar no Brasil e criar o Cebrap [Centro Brasileiro de Análise e Planejamento] implicava criar as condições, que não existiam, para continuar a pensar e resistir. Eu dizia naquela época que nossa situação era a dos mosteiros nos piores momentos da Idade Média: a barbárie se espalha, é preciso preservar pequenos espaços de liberdade.

Tive que buscar apoio em fundações internacionais e, naquela época, havia preconceito contra isso. Junto com outros professores aposentados, Elza Berquó, Paul Singer, Giannotti, criamos o Cebrap. Fomos apoiados no início pelo Peter Bell, da Fundação Ford, homem de pensamento liberal no sentido americano da palavra, que também ajudou mais tarde em Santiago o pessoal expulso da universidade pelo Pinochet.

Era arriscado, mas decidi ficar no Brasil depois do AI-5 e criar o Cebrap para preservar espaços onde fosse possível pensar e resistir.

Fui falar com Severo Gomes, Paulo Egydio, gente ligada ao regime, para dizer que havíamos decidido ficar. Era muito arriscado. Mas decidi ficar porque achei que de fora não ia poder contribuir. Tinha visto o que era o exílio, os sonhos dos exilados, e eu sou realista. As coisas vão se passar é aqui dentro.

Na construção do Cebrap foi importante a contribuição de Procópio Ferreira de Camargo e de vários outros professores, que, embora não atingidos pelo AI-5, se dispuseram a trabalhar conosco, assim como o apoio de professores da FGV de São Paulo.

A experiência do Cebrap demonstrou que, em plena ditadura, era possível manter a dignidade e criar as condições para trabalhar com liberdade.

Naquele momento, no auge da ditadura, eu era um dos poucos que davam uma solidariedade ativa aos que estavam resistindo, como dom Paulo Evaristo Arns, a despeito de ser contra a luta armada. Escrevi junto com outros pesquisadores o livro *São Paulo: crescimento e pobreza*, que teve um enorme efeito junto às pastorais e aos movimentos sociais.

Ajudei a Comissão de Justiça e Paz na questão dos direitos humanos. Corremos riscos. Jogaram uma bomba no Cebrap. Fui com Juarez Brandão Lopes ao Dops para registrar queixa e, de repente, percebi que estava sendo interrogado e poderia ser preso... Disse para o Juarez, vamos embora já, senão eles vão nos prender...

A experiência do Cebrap demonstrou que era possível, com coragem, manter a dignidade e trabalhar com liberdade. Criamos uma coisa chamada "mesão". Toda a intelectualidade da época passou lá para discutir: Maria da Conceição Tavares, Celso Furtado, Luciano Coutinho, Luiz Gonzaga Belluzzo, João Manuel Cardoso de Mello, Francisco Weffort, José Arthur Giannotti, Bolívar Lamounier, Chico de Oliveira. Era um espaço aberto de pensamento e debate. Em plena ditadura.

Uma vez veio à minha casa o Vinícius Caldeira Brant, que havia sido presidente da UNE e tinha sido preso e torturado. Eu morava no Morumbi, ele saiu da cadeia e foi lá em casa. Me disse que queria trabalhar. Eu respondi: Vinicius, eu só preciso saber de uma coisa, se você ainda está ligado à luta armada. Porque se você ainda estiver não posso te dar um emprego, porque isso vai destruir o que eu estou fazendo, pois a polícia acaba chegando lá. Ele respondeu que não estava e veio trabalhar no Cebrap.

Muitos do Cebrap foram presos e torturados. Eu fui com dois deles — Chico de Oliveira e Frederico Mazzuchelli — à casa do Severo Gomes, que era ministro do presidente Ernesto Geisel, para dizer "olha o que fizeram com eles". O Severo me perguntou: "Você escreve uma carta ao Geisel contando isso?" Eu disse, escrevo.

Escrevi, denunciando os fatos e dando os nomes dos delegados do Dops envolvidos. O Severo entregou a carta ao Geisel, que, referindo-se a mim, perguntou: "Mas esse aí não é comunista também?"

Nós abrigamos muita gente. O Fernando Gasparian foi outro que ajudou muito e a muitos. Fizemos a revista *Argumento*, fecharam. Gasparian fez o *Opinião*, eu participei do Conselho Editorial. Depois houve uma cisão que deu origem ao *Movimento*, mais ligado ao PCdoB.

Continuei participando de ambos. Mantendo o tempo todo a integridade intelectual. Era uma forma de participar politicamente sem ser membro do MDB e sendo contra a luta armada.

O Cebrap foi uma aposta

Construímos as bases de uma resistência democrática, forçando os limites. Foi uma aposta na esperança. Política não é a arte do possível. É a arte de criar as condições para tornar possível o necessário.

em que o pensamento poderia sobreviver e que, pela sua própria existência, ampliaria a resistência ao autoritarismo, abrindo caminho para coisas novas.

Esse foi um momento de prática democrática, de construção das bases de uma resistência democrática, sempre no limite, mas forçando os limites do que seria possível, tentando ampliar os espaços, ainda que correndo riscos.

Foi essa mesma aposta que me levou mais tarde a ajudar o MDB. Essa aposta implicava risco. Eu assumi esse risco. É o que Albert Hirschman chama *a bias for hope*, o viés pela esperança, a paixão do possível.

Ampliando o campo do possível

É por isso que costumo dizer que a política não é a arte do possível. É a arte de criar condições para tornar possível o necessário. Esta é a minha filosofia política: é preciso resistir, dá para fazer, vamos construir. Por mais adverso que seja o momento, por maior que seja a desesperança. Esperança se constrói.

Nunca parei de criticar, nunca pedi proteção a ninguém. A única vez em que recorri a algum instrumento de poder foi quando a censura fechou a revista *Argumento* depois do seu quarto número. A revista tinha sido relançada pelo Fernando Gasparian junto com a Maria Hermínia Tavares de Almeida, que anteriormente, por conta da repressão, havia passado por momentos difíceis. Junto com Arnaldo Pedroso Horta, Paulo Emílio Salles Gomes e Antonio Candido fizemos uma boa revista, essencialmente cultural.

Fui junto com o Antonio Candido, não me lembro se o Paulo Emílio estava junto, falar com o marechal Cordeiro de Farias na avenida Rio Branco, onde ele representava o Grupo João Santos. O Cordeiro de Farias era muito ligado ao meu pai e ao meu avô. Ele começou a conversa tecendo loas ao meu avô. Entrei no assunto. Falei da censura. Ele abriu uma gaveta, mostrou um envelope censurado e disse, quer ver, ele também estava sendo censurado. Acrescentou, isso é um absurdo, nós vamos acabar com isso. Vou falar com o Ernesto.

Algum tempo depois, a secretária do Golbery do Couto e Silva telefonou para o Cebrap para marcar uma audiência dele comigo. Fui sozinho. Esperei pelo Golbery algumas horas, porque ele estava com o Geisel. Quando ele chegou, eu não o conhecia, contei tudo a ele. E ele começou a perguntar sobre a Oban [Operação Bandeirantes, órgão de repressão do regime militar]. Perguntou especificamente sobre a Maria da Conceição Tavares e o Paul Singer. Respondi que sobre o Paul não tinha certeza se ele tinha sido torturado, mas sabia que tinha sido humilhado. A Conceição, quando chegou do Chile, tiraram a roupa e tal.

Ele disse que isso era um absurdo, isso vai acabar, é coisa de maus patriotas. Me lembro de que eu disse a ele: general, o senhor me desculpe, eu estive lá também. Não são os maus patriotas, é o Exército. O coronel Paes é o comandante e eu estive com ele para protestar.

O Golbery nos pôs em contato com o Armando Falcão, ministro da Justiça. Fui vê-lo com Antonio Candido e Paulo Emílio. Foi horrível. Praticamente nos maltratou. E a censura não foi levantada. Foi a única vez em que utilizei instrumentos de família e não deu certo... Esta história ainda é muito pouco conhecida.

Lembro que, a convite do Pedro Simon, fui ao Rio Grande do Sul fazer uma conferência no Instituto de Estudos Políticos ligado ao MDB, o Ieps. Falei abertamente a respeito da tortura, o que assustava as pessoas, e com razão. Num texto daquela época, eu dizia se não é possível gritar, vamos falar. Se não é possível falar, vamos sussurrar. Foi assim que fomos, juntos, vencendo o medo.

Não tinha respaldo de ninguém para falar. Era respaldado pelos contatos que tinha e pelo sentimento do intelectual que ousa ir além do que pode.

Vivemos momentos de tensão muito grande. Quando a repressão matou o Vladimir Herzog, a mulher dele, que fora minha aluna, Clarice, foi ao Cebrap, aos prantos. Eu gostava muito do Vlado. Tínhamos estado juntos em Paris e fomos algumas vezes ao cinema quando ele morava em Londres e visitava Paris.

Como o Vlado era judeu, fui junto com o Gabriel Bolaffi à casa da mãe dele para pedir autorização para a realização de um culto ecumênico na catedral. Dom Paulo me chamou em sua casa no Sumaré, dizendo que tinha sido avisado pelo secretário político do Paulo Egydio, governador de São Paulo, de que não tinha condições para garantir a segurança dos participantes da missa.

Se não é possível falar, vamos sussurrar. Juntos fomos vencendo o medo. Fazendo sempre um pouco mais, conquistando um palmo mais de espaço.

Assim mesmo dom Paulo tomou a decisão de realizar a missa na catedral. Dom Hélder Câmara veio de Recife para apoiar dom Paulo. Junto com dom Paulo, falaram o pastor Jaime Wright, organizador do livro *Tortura nunca mais*, e o rabino Henry Sobel. O clima era pesadíssimo e a emoção muito grande. Essa celebração foi um momento importante, uma manifestação de coragem da sociedade que não ficou calada.

Mais ou menos por essa época, fui parar na Oban. O pior período da repressão já havia passado, mas isso não fez com que a experiência fosse menos terrível. Fui chamado por causa do Cebrap, que para a repressão era um núcleo de subversão.

Tiraram minha fotografia com aquele número de preso, me puseram um capuz, me interrogaram e me ameaçaram de tortura. Passei o dia todo lá. Me perguntaram a que organizações, subversivas, eu pertencia. Respondi, ao Cebrap...

Vi gente torturada. Quando saí, por volta da meia-noite, me esperava o Roberto Gusmão. Essas coisas a gente não esquece. A força de um gesto solidário no momento mais arriscado. Mas essa foi também uma época que nos deu uma resistência íntima, muito forte, coragem e convicção para enfrentar dificuldades.

Nunca se sabia o que poderia acontecer. Tínhamos que ir ousando, fazendo sempre um pouco mais, conquistando um palmo mais de espaço.

Foi um momento em que ousar falar era uma coisa fundamental. Houve quem pensasse que eu tinha podido ficar e falar porque tinha as costas quentes. Ora, meu pai morreu em 1966 e era contra o golpe. O que eu tinha era outra coisa, contatos internacionais e prestígio como intelectual.

Eu arriscava. Na verdade, era respaldado por mim mesmo, pelos contatos que tinha, aqui e no exterior, e por um certo sentimento do intelectual que vai além do que pode.

O que nós fizemos foi construir uma teia da resistência democrática no Brasil, com a Igreja e as suas pastorais, os jornais nanicos, núcleos de pesquisa, a SBPC [Sociedade Brasileira para o Progresso da Ciência], a OAB. O papel de dom Paulo nessa construção foi importantíssimo. Uma coragem e uma dignidade extraordinárias.

Depois vieram as greves do ABC, a luta pela anistia e, mais tarde, as Diretas Já. O Teotônio Vilela virou o símbolo da luta pela anistia. Fui junto com ele visitar os presos políticos no presídio do Barro Branco. Graças à ousadia de Teotônio nos deixaram entrar. Fomos talvez os primeiros a forçar uma prisão e visitar detentos sem sermos parentes, amigos, advogados ou convidados.

Outro momento importante foi minha candidatura ao Senado por São Paulo em 1978. Naquele momento havia a chamada sublegenda. Cada partido podia ter até três candidatos.

O principal candidato do MDB era o Franco Montoro, que já era senador e se reelegeu. Minha candidatura era simbólica, era uma candidatura de protesto e de mobilização. Tive um milhão e trezentos mil votos. Tive apoio de muita gente, do Lula, a quem eu havia apoiado nas greves de São Bernardo, e muitos outros sindicalistas, intelectuais e artistas.

A campanha foi feita com grande entusiasmo. Um amigo, mais irônico, depois me disse: cuidado para que a derrota não lhe suba à cabeça...

Sonho e realidade

Mudar o mundo

Nossa geração tinha sonhos de mudar o mundo. O mundo mudou. É verdade. E muda cada vez mais rápido. Mas não sei se faz sentido dizer que o mundo muda sempre, por si mesmo, pela força das coisas, pelo choque das contradições. Não creio que seja bem assim

Ele muda por si, mas também precisa de utopias. Eu não gosto da ideia de "projeto", projeto nacional e coisas que tais, que é uma ideia um pouco sartriana, mas acho que é preciso ter certos objetivos, valores, até mesmo buscar convergências — que nem sempre se dão de maneira muito organizada entre pessoas e setores sociais diferentes — e que produzem efeitos sobre o mundo.

Há uma espécie de dialética entre as estruturas, que por si vão andando e se repetindo, e o inesperado, quando as vontades se chocam. Marx tem várias frases interessantes sobre isso. Era um bom frasista. Por exemplo, os homens fazem história, mas não sabem que estão fazendo. E também os homens fazem história, mas em circunstâncias dadas. É verdade. Mas fazem a história.

Essa tensão entre a audácia e a razão, entendendo por razão a inteligibilidade do que já está e por audácia a tentativa de criar algo, é permanente. E os sonhos que isso implica, as utopias, se quisermos chamar assim, também existem. Mesmo que não se mude o mundo do jeito que a gente quer, se ninguém estiver tentando mudar, aí mesmo é que nada muda.

As utopias existem. Com o passar do tempo os sonhos vão mudando. Não dá para fazer tudo, a vontade não é lei, mas isso não é razão para se ficar conformado.

É claro que, com o passar do tempo, os sonhos vão mudando e a gente tem que ficar mais humilde. É preciso saber que não dá para fazer tudo, que a vontade não é lei, mas isso não quer dizer que não se deva estar inconformado.

Por exemplo, a injustiça deve provocar indignação. Neste momento há um movimento de indignação, sobretudo na Europa. Há o movimento dos indignados na Espanha. Tudo isso implica emoção, as pessoas se mobilizarem contra. E isso mobiliza vontades, vai criando um querer coletivo.

Sempre? Não. Isso não ocorre o tempo todo. As sociedades não vivem fervendo, não é água a 90 graus. Quando a água chega a 90 graus vira vapor. A sociedade não se transforma em vapor, o líquido continua ali. Ela às vezes ferve, depois esfria, requenta, depois ferve de novo. Não existe uma pulsação contínua que leve a mudanças ou rupturas. Mesmo essas mudanças por acumulação não se dão de forma continuada, linear. Elas têm altos e baixos, tempos fortes e tempos de acalmia.

No plano político, a grande mudança recente foi a queda do Muro de Berlim, evento-símbolo do fim do sonho comunista e mesmo socialista. O colapso do socialismo ficou ainda mais evidente com a evolução da China, que era o que restava da utopia de esquerda do passado.

As grandes mudanças são sempre provocadas por muitos fatores. Nunca é uma variável só. Alguns são

> As sociedades não são como água a 90 graus. De repente ela ferve, depois esfria, requenta e ferve de novo. Não há uma pulsação contínua. As mudanças não se dão por ruptura, mas por acumulação.

de base técnica: meios de comunicação, internet. Tudo o que aconteceu da Segunda Guerra Mundial para cá comprova a incapacidade do mundo organizado segundo a visão ortodoxa, de esquerda, de competir com o mundo capitalista.

Mas também dentro do mundo capitalista as coisas mudaram, e muito. A propriedade privada existe, mas a pressão para a compensação das desigualdades sociais também é forte. De certo modo o que existe hoje de mais próximo ao sonho antigo são os países nórdicos, onde se tem capitalismo, democracia, liberdade, mas também uma ação forte da sociedade civil e uma ação social do próprio Estado de sentido compensatório.

Na social-democracia a economia era de mercado, mas a sociedade era de bem-estar social. Liberdade e solidariedade reduziram as desigualdades.

No lado de cá, isto é, do Ocidente, a primeira visão alternativa ao socialismo coletivista foi a da social-democracia. Essa visão, que combina liberdade com uma ação de sentido igualitário, em ampla medida se realizou nos países nórdicos e, em maior ou menor grau, em boa parte da Europa.

A partir dos anos 1950 na Europa, superado o trauma da guerra, as aspirações à generalização do bem-estar começaram a ocorrer. A sociedade tornou-se socialmente muito mais coesa, ou seja, menos desigual, ainda que capitalista. É o que se chamou de "Europa social", "economia social de mercado" ou "Estado de bem-estar".

Meu amigo Lionel Jospin, quando primeiro-ministro da França, usava uma fórmula interessante: a economia era de mercado, mas a sociedade era de bem-estar social. Liberdade e solidariedade foram alavancas de redução das desigualdades.

Só que as coisas se desequilibraram. O peso de tudo isso sobre o Estado foi tão grande que gerou uma contrarreação, encarnada, num primeiro momento, pelo ultraliberalismo de Margaret Thatcher.

A tentativa de se contrapor à fúria neoliberal levou, por sua vez, a uma social-democracia revisada, que foi a Terceira Via do Partido Trabalhista inglês ou o Novo Centro do Partido

Social-Democrata alemão. De um jeito ou de outro, praticamente todos os países europeus sob controle social-democrata buscaram reequilibrar suas políticas.

Alguns, como os ingleses, alemães e espanhóis, fizeram isso de forma explícita. Outros, como Jospin, na França, ou meu amigo Mário Soares, em Portugal, fizeram sem dizer que estavam fazendo, pois, em sua retórica, identificavam no reformismo da Terceira Via uma rendição ao capitalismo e preferiam manter seus vínculos ideológicos com a Segunda Internacional.

O fato inequívoco é que, na Europa, houve mudanças e mudanças dentro das mudanças. Nossos sonhos, em boa medida, foram redefinidos ao redor dessas mudanças realizadas pela social-democracia europeia, em que a ideia de igualdade não desaparece, mas a de liberdade se torna mais forte.

O controle estatal como alavanca do futuro diminui enquanto aspiração. Mas não é o desaparecimento do Estado, e sim a emergência da sociedade, que constitui o fenômeno novo no mundo contemporâneo.

Mesmo num país como os Estados Unidos, que tem uma história diferente, onde mercado e sociedade sempre foram mais importantes do que o Estado, salvo no período do *New Deal* de Roosevelt, o Partido Democrata, sobretudo com Jimmy Carter e Bill Clinton, tem essa conotação de um partido que atribui ao Estado um papel importante na promoção do bem-estar social. Não é um capitalismo selvagem, não é um mercado totalmente desregulado, nem é um Estado bárbaro. Essa é a nova sociedade que está aí se conformando.

A China, por sua vez, também seguiu uma trajetória muito curiosa. Manteve o poder de controle do Partido Comunista, mas fez um pacto entre o Estado e as multinacionais e depois com os capitalistas chineses. Os dirigentes chineses dão diferentes nomes a esse arranjo bastante inédito: uma "sociedade harmoniosa", uma "era de convergência" etc.

Qualquer que seja a definiçao que se dê, a realidade é que a China caminha para uma outra formação sociopolítica em que se mantém o poder do partido. Mas mesmo aí, e a despeito de tudo, o ideal de liberdade continua a aflorar. Não foi só no episódio da revolta estudantil sufocada na Praça da Paz Celestial. Hoje o governo ainda prende os dissidentes, liberta, impõe restrições, tenta controlar a circulação de informação pela internet, mas a coerção física direta diminuiu.

A liberdade de movimento, de pensamento e, por extensão de expressão tende a aumentar. É provável que um chinês médio tenha hoje um grau de liberdade individual que nunca teve antes na história. Está havendo uma coexistência entre setor público e setor privado que não havia antes. É um outro modelo. Para onde vai isso, ninguém sabe. Mas as coisas estão em movimento.

Se o mundo não mudou como imaginávamos nos nossos sonhos, as sociedades melhoraram. O mundo de hoje não é pior do que o do passado. É diferente.

Portanto, se os nossos sonhos não se realizaram na forma como nós os concebíamos, a sociedade, as sociedades melhoraram. Se quisermos um índice disso, basta olhar a pobreza. A pobreza que parecia, até bem pouco tempo, insuperável pela via capitalista — e essa era uma das principais motivações ou atrações da via socialista ou comunista — se reduziu de forma significativa e constante nos últimos anos em função da globalização.

Não por causa da globalização em si. A globalização parte de uma base técnica renovada, tem a ver com o mercado de capitais e tantas outras coisas. Não foi por aí. O tema da pobreza entrou pelo lado da igualdade, pelo lado da liberdade. Num mundo em que cada vez mais se sabe o que se passa em todas as partes, não é mais aceitável a convivência de tanta pobreza com tanta riqueza. Todos os indicadores mostram que a fome diminuiu, as pessoas vivem mais, há maior acesso à educação e à saúde.

Isso não impede que, em certos momentos, como agora, em países como os Estados Unidos, aumente a desigualdade. Em outros, como no Brasil, a desigualdade está diminuindo. Na China está aumentando. Mas a tendência em escala global é de redução da pobreza. Uma coisa é pobreza, outra é desigualdade. É claro que ambas são importantes.

A pobreza está diminuindo. Portanto, o mundo que está emergindo não é um mundo pior do que o do passado. É diferente. Talvez ele não coincida exatamente com os nossos sonhos originários, mas ele tem algo desses sonhos originários com outra roupagem.

Nós estamos vendo isso no Brasil de forma muito clara. A transformação do PT, de fato, num partido social-democrata, embora em aliança aberta com o grande capital, é a expressão dessas novas realidades. Não devemos, portanto, ter uma visão excessivamente negativa do que aconteceu com os nossos sonhos.

Às vezes sonhamos com coisas que não são factíveis, o sonho não dá certo, mas ele reaparece sob outra maneira e se você não tiver alguma utopia, aí mesmo é que não acontece nada.

Às vezes sonhamos com coisas que não são factíveis, mas o sonho reaparece sob outras formas. Se não se tiver uma utopia, aí mesmo é que não acontece nada.

Por fim, estamos assistindo no mundo islâmico a uma coisa ao mesmo tempo surpreendente e muito positiva. Quando se tem uma somatória de desemprego, autoritarismo, corrupção, desesperança e, simultaneamente, maior acesso à informação e liberdade de comunicação, a coisa explode.

A liberdade não foi dada pelo Estado. Ela foi dada pelas novas tecnologias. Governos autoritários, como no Egito e na Tunísia, foram derrubados. Em outros países, como a Líbia e a Síria, a situação é de muita violência e incerteza. Como essas sociedades vão se refazer, está em aberto. Há riscos. Mas nada será como antes.

Mudar o Brasil

Eu nasci junto com a revolução de 1930, em que minha família toda estava metida. O que era aquele Brasil? Quanto havia de analfabetos: 70%, 75%? Hoje são 10%. Só havia uma estrada pavimentada, que ligava o Rio a Juiz de Fora. Isso era o Brasil. Mudou tudo no Brasil, e para melhor.

Em minha experiência de vida o primeiro grande momento de transformação veio com a Segunda Guerra Mundial. Meu pai se mudou de novo para o Rio, Copacabana tinha blecaute, ensaios de bombardeios. Na época da guerra, o Brasil deu um salto com a chamada substituição forçada de importações. O que não se podia importar começou a ser produzido aqui. Houve um *boom* da indústria têxtil e aumentou a urbanização. O Getúlio se beneficiou disso.

Depois passamos por um período bastante difícil, que foi o final do governo JK. Juscelino não fez a abertura da economia, mas trouxe o capital estrangeiro para cá. Não internacionalizou a economia brasileira, mas internacionalizou a produção feita aqui. Fez Brasília, o que gerou otimismo e também endividamento.

Daí por diante os anos 1960 foram tempos difíceis, culminando com o golpe de 1964. Nos anos 1970 houve crescimento econômico, mas os indicadores sociais não acompanharam a melhoria. Como houve uma explosão urbana, devido ao forte crescimento populacional e às migrações, os serviços públicos entraram em colapso. Aumentou a desigualdade.

Quando chegamos aos anos 1980, o modelo ficou insustentável, falta de liberdade, crise do petróleo, endividamento externo, inflação etc.

Nos anos mais recentes, para mim, o grande marco foi a Constituinte, a nova Constituição que assegura as liberdades, dá voz ao povo, permite organização. Isso é consequência das Diretas Já, das greves do final dos anos 1970.

O Brasil de hoje é mais do que uma economia emergente. É uma sociedade emergente. É um novo país.

Daí por diante, não há governo que não tenha que olhar para o povo, porque o povo está aí, ele pode gritar, pode ir ao tribunal, ele reclama.

O Brasil de hoje é mais do que uma "economia emergente", é uma "sociedade emergente". Ou, para usar o título de um livro de Albert Fishlow que analisa bem o que aconteceu nas últimas décadas, somos um novo país.

Os fundamentos desse novo país começaram a se constituir a partir das greves operárias do fim da década de 1970 e da campanha das Diretas Já, que conduziram à Constituição de 1988. Esse foi o marco inicial do novo Brasil: direitos assegurados, desenho de um Estado visando a aumentar o bem-estar do povo, sociedade civil mais organizada e demandante, enfim, liberdade e comprometimento social.

Havia na Constituição, é certo, entraves que prendiam o desenvolvimento econômico a monopólios e ingerências estatais. Sucessivas emendas constitucionais foram aliviando essas amarras, sem enfraquecer a ação estatal, mas abrindo espaço à competição, à regulação e à diversificação do mundo empresarial.

O segundo grande passo para a modernização do país foi dado pela abertura da economia no início dos anos 1990. Contrariando a percepção acanhada de que a "globalização" mataria nossa indústria e espoliaria nossas riquezas, houve a redução de tarifas e a diminuição dos entraves ao fluxo de capitais. Novamente, os "dogmáticos" (lamento dizer, PT e presidente Lula à frente) previram a catástrofe que não ocorreu: "sucateamento" da indústria, desnacionalização da economia, desemprego em massa e assim por diante.

Passamos pelo teste: o BNDES atuou corretamente para apoiar a modernização de setores-chave da economia, as privatizações não deram ensejo a monopólios privados e mantiveram boa parte do sistema produtivo sob controle nacional, seja nas mãos do setor privado, seja do Estado, ou em conjunto. Houve expansão da oferta e democratização do acesso a serviços públicos. O Brasil se tornou competitivo e começou a ganhar espaço no cenário global.

O terceiro passo foi o Plano Real, com a estabilização da moeda e a vitória sobre a inflação, não sem enormes dificuldades e incompreensões políticas. Juntamente com a reorganização das finanças públicas, com o saneamento do sistema financeiro e com a adoção de regras para o uso do dinheiro público e o manejo da política econômica, a estabilização permitiu o desenvolvimento de um mercado de capitais dinâmico, bem-regulado, e a criação das bases para a expansão do crédito.

Por fim, mas em nada menos importante, deu-se consequente prática às demandas sociais refletidas na Constituição. Foram ativadas as políticas sociais universais, educação, saúde e previdência, e as focalizadas: a reforma agrária e os mecanismos de transferência direta de rendas, entre eles as bolsas, a primeira das quais foi a Bolsa-Escola, substituída pela Bolsa-Família. Ao mesmo tempo, desde 1993,

É preciso ter regras que regulem a economia e a vida em sociedade. O respeito à lei, às liberdades individuais e coletivas faz parte desse novo Brasil.

houve significativo aumento real do salário mínimo, de 44% no governo do PSDB e de 48% no de Lula.

As políticas sociais começadas no meu governo se ampliam no governo Lula. Os resultados veem-se agora: aumento de consumo das camadas populares, enriquecimento generalizado, multiplicação de empresas e das oportunidades de investimento, tanto em áreas tradicionais quanto em áreas novas.

Inegavelmente, recebemos também um impulso "de fora", com o *boom* da economia internacional de 2004/2008 e, sobretudo, com a entrada vigorosa da China no mercado de *commodities*.

Por trás desse novo Brasil está o "espírito de empresa". A aceitação do risco, da competitividade, do mérito, da avaliação de resultados. O esforço individual e coletivo, a convicção de que sem estudo não se avança e de que é preciso ter regras que regulem a economia e a vida em sociedade. O respeito à lei, aos contratos, às liberdades individuais e coletivas faz parte desse novo Brasil.

Uma grande força de renovação do Brasil está nos setores populares e médios que escapam do clientelismo estatal. Esse espírito novo está longe do dia a dia mesquinho da política congressual.

O "espírito de empresa" não se resume ao mercado ou à empresa privada. Ele abrange vários setores da vida e da sociedade. Uma empresa estatal, quando o possui, deixa de ser uma "repartição pública", na qual o burocratismo e os privilégios políticos, com clientelismo e corrupção, freiam seu crescimento. Uma ONG pode possuir esse mesmo espírito, assim como os partidos deveriam possuí-lo. E não se creia que ele dispense o sentimento de coesão social, de solidariedade, como se fosse bom o cada um por si e Deus por ninguém.

O mesmo espírito deve reger os programas e as ações sociais do governo na busca da melhoria da condição de vida dos cidadãos. Uma grande força de propulsão deste novo Brasil está nos setores populares e médios que escapam do clientelismo estatal, que têm independência para criticar o que há de velho nas bases políticas do governo e em muito de suas práticas. Esse espírito novo está longe do dia a dia mesquinho da política congressual.

Resíduos do atraso, como a ingerência política na escolha dos "campeões da globalização", o favorecimento de setores econômicos "amigos", a resistência à cooperação com o setor privado nos investimentos de infraestrutura, além da eventual tibieza no controle da inflação, podem cortar as aspirações de consumo das classes emergentes.

O que falta fazer?

A previdência tem problemas, o sistema tributário também, o mercado de trabalho também... Não houve reforma nessas áreas. Tampouco houve um avanço grande de investimentos — agora está começando a haver. O crescimento está se dando mais pelo consumo do que pelo investimento. Isso vai até certo ponto, depois para.

O futuro vai depender de educação, tecnologia e inovação. O Brasil tem hoje uma situação privilegiada, porque a China voltou a ter um papel central no mundo e ela precisa de comida e matéria-prima. E o Brasil tem espaço para continuar a plantar e tem boa mineração. Mas isso tem um preço: nossa indústria começa a dar sinais preocupantes, o número de empregos aumentou, mas os empregos são de baixa qualificação. País desenvolvido é país de emprego bom.

A formalização das relações de trabalho é uma coisa positiva no governo Lula. Mas a qualidade do emprego não está melhorando. É normal que o setor de serviços cresça em todas as economias. Mas qual serviço? Voltamos ao tripé: educação, tecnologia, inovação. Vamos ter de competir. Para isso temos que escolher: vamos ser bons no quê? Não podemos continuar com a visão autárquica do passado de querer ser bom em tudo. Teremos que escolher e fazer apostas.

Tenho dito que estamos um tanto sem estratégia. Não estou falando só do governo. Tenho horror a essa ideia de que falta um projeto nacional. Isso é uma visão totalitária, a famosa utopia totalitária. Não se trata disso. Numa sociedade democrática é preciso que haja uma convergência de objetivos.

Precisamos de uma estratégia convergente, de uma visão compartilhada de futuro. Numa sociedade democrática não é o mercado que deve comandar. Nem o Estado. É a sociedade.

Não é alguém que, com uma alavanca de governo ou partido, faz. Essa é a grande diferença entre PT e PSDB. O PT acredita que o partido toma conta do Estado e que o Estado muda a sociedade. No passado o PT não acreditava nisso. Ele nasceu da sociedade, mas se esqueceu disso. No fundo, é mais autoritário.

Precisamos de uma estratégia que seja convergente. O que todos queremos? Queremos passar de uma sociedade rica e desigual para uma só mais igualitária ou queremos mais do que isso? Cuba e Coreia são igualitárias. Igualdade é um valor, mas não é absoluto. Precisamos querer mais do que isso, uma sociedade com valores de participação, democracia, liberdade, respeito ao indivíduo, de justiça.

Esse é o desafio que temos pela frente: o de criarmos uma sociedade mais decente, onde as pessoas se sintam mais seguras, vejam futuro para seus filhos. Ainda é um desafio chegar a um Brasil onde todos se sintam partícipes. Nos slogans, isso já existe, na prática ainda não.

Acho que ainda não temos uma visão compartilhada de futuro. Grandes decisões são tomadas sem o país saber. Ninguém discutiu as decisoes sobre petróleo ou usinas nucleares. Falta a sociedade se engajar nessas questões. Voltamos a um período do regime militar em que as decisões do Estado eram tomadas sem debate público.

Se não há debate e a sociedade não confia nas instituições, como pode haver uma convergência de todos? Não é possível. Fica cada um por si e Deus por todos. E sabe quem acaba mandando? O mercado. Quem mais comanda hoje é o mercado, não o Estado ou a sociedade, com seus valores e suas políticas. Eu sou contra isso. Numa sociedade democrática, não pode ser o mercado quem comanda. Tem que ser a sociedade.

Política hoje não é coisa de um partido, de uma instituição, de um líder. É de todo mundo. Ou passamos a discutir ou não se sai do lugar. Não dá mais para alguém dar uma ordem e os demais obedecerem sem discussão. Hoje, isso acabou. Alguém vai dar ordem sempre, mas não é isso que vai mudar o mundo. A mudança do mundo vem da mudança de comportamento e quando todos querem participar.

Tempo de incerteza

O mundo está mudando para melhor, mas há muita incerteza. A social-democracia europeia está em crise, está sem projeto. Ou melhor, não sabe como lidar com as consequências da crise econômica global. Não é só na Grécia, na Irlanda ou em Portugal. Na Espanha e na Inglaterra há uma onda de protestos contra os sacrifícios impostos à população. Os governos estão na defensiva, mas nenhuma força política propõe saídas alternativas.

A crise de 2008 e 2009 foi a primeira grande crise do capitalismo global. Ela estoura no setor financeiro e, a partir daí, afeta todo o sistema econômico e todos os países. Justamente porque a maior parte dos países europeus estava sob controle da social-democracia, custou muito mais a esses países adotarem políticas ortodoxas. Nos dois sentidos: soltar dinheiro para os ricos e apertar o cinto dos pobres. Que foi exatamente o que os americanos fizeram, inclusive com o Barack Obama.

Na Europa a margem de manobra política para fazer isso é menor. Vão tentando contemporizar e não conseguem sair da crise. A pressão de baixo sobe e fica muito difícil para os partidos social-democratas gerir a crise.

A crise econômica derrubou a social-democracia na Europa. Ela está em crise, sem projeto. O protesto vem hoje dos indignados e explode nas praças.

A crise continua. Houve uma brutal socialização das perdas e chegou a hora do pagamento. Os Tesouros se endividaram e salvaram os bancos, agora querem que os ganhadores — os ricos — paguem mais impostos. Mas os *taxpayers*, os contribuintes, preferem cortar gastos, sobretudo sociais, a pagar mais impostos. Na Europa os países mais pobres querem que os países mais ricos, leia-se a Alemanha, paguem o custo da crise. É a nova forma da velha luta de classes.

Essa é a situação dramática em que está o primeiro-ministro George Papandreou na Grécia hoje. Ele, que é um dos maiores líderes da social-democracia, tem que adotar políticas extremamente duras e restritivas e tem contra ele o povo, os sindicatos e a direita. A mesma coisa aconteceu na Espanha com o José Luís Zapatero. A direita ganhou as eleições regionais e o protesto dos "indignados" explodiu nas praças.

A crise econômica derrubou a social-democracia na Europa. O sentido evidentemente não é o mesmo da queda do Muro de Berlim, que marcou o fim de uma época. O problema aqui é outro. Como o sistema é capitalista e como as crises fazem parte do funcionamento do sistema, os que estão no poder pagam um alto preço, quer adotem as políticas restritivas quer não as adotem. Se não são duros, a economia derrete. Se são duros, a política derrete.

A social-democracia não encontrou uma resposta para esse impasse. Mais ainda. Ela também foi progressivamente perdendo vigor porque os custos de manter indefinidamente uma política de bem-estar social são altos e chega um ponto em que prejudica os investimentos.

Os alemães, por exemplo, dizem para os gregos: vocês gastaram mais do que podiam e agora nós é que vamos pagar a conta? Eles se esquecem de que, nos tempos de bonança, incentivaram a gastança e ganharam dinheiro com ela.

Há também um outro fator a ser levado em conta. A economia capitalista contemporânea depende muito da inventividade tecnológica, da criação de novas áreas de investimento. Um país como a Espanha, que deu um salto impressionante nos últimos anos, baseou sua expansão não só na integração na Europa, mas no *boom* imobiliário, no *boom* de turismo e no financiamento disso tudo. A crise global afetou diretamente esses setores, revelando um déficit de criatividade e produtividade nos outros setores da economia espanhola.

Na verdade, as economias desenvolvidas ainda não saíram da crise e ninguém sabe quando sairão. Os próprios Estados Unidos, que injetaram um volume brutal de recursos para salvar bancos e empresas à beira da falência, ainda estão às voltas com taxas altíssimas de desemprego.

Minha sensação pessoal é que a saída da crise vai depender muito da capacidade de essas economias abrirem novas áreas de investimento. Por exemplo, os americanos e os chineses perceberam que a "economia verde"

A saída da crise implica um desafio tecnológico e cultural. A tecnologia sozinha não basta. É a organização social e a cultura que podem criar novas oportunidades de investimento.

pode ser uma alternativa. Investir em carros elétricos em vez de carros a gasolina.

O que implica um desafio tecnológico e cultural. Na verdade, não é a tecnologia sozinha que comanda. É a tecnologia, junto com a organização social e com a cultura, que define a possibilidade ou não de criação de novas oportunidades de investimento. Essas novas oportunidades não estão visíveis. Alguns países estão tentando.

Os emergentes, como o Brasil, se beneficiaram enormemente da expansão da China, por causa sobretudo das *commodities*. O que deu um grande desafogo não só na economia brasileira, mas da América Latina em geral, é que temos grãos e minerais, para os quais existe uma grande demanda hoje.

Essa vantagem não é uma garantia de futuro. A meu ver, o futuro vai se jogar no que virá pela frente: educação, inovação, ciência e tecnologia. E cada país vai ter o desafio de se ajustar a esse patamar, que já se alcançou, de uma sociedade mais decente, ou seja, a ideia de igualdade.

No caso do Brasil e da América Latina, o modelo nunca pôde ser social-democrata. Os personagens são outros. O grande objetivo da social-democracia era generalizar para os trabalhadores aquilo que a classe média já tinha.

No Brasil, os trabalhadores organizados já têm instituições e a classe média, em expansão, começa a tê-las, mas não está contente com elas, com sua qualidade. O desafio, portanto, é de outra natureza: melhorar as instituições para atender aos anseios das classes médias emergentes (por exemplo, melhor qualidade no atendimento nas áreas de saúde e educação) e incluir os que ainda estão de fora, ou seja, enfrentar a pobreza.

Os pobres não são uma classe em si. Marx dizia, o proletariado é uma classe, os outros pobres são um *lumpen*, uma massa. O nosso problema é exatamente essa massa, que, apesar dos avanços das últimas décadas, ainda é muito grande.

Daí o êxito das políticas de bolsas, que são políticas de inclusão social. Não são políticas social-democratas no sentido europeu. Elas foram inventadas pelo Banco Mundial e pelo BID [Banco Interamericano de Desenvolvimento] com o objetivo de incluir os excluídos "até que"...

Nós não resolvemos, aliás, a questão do "até que", porque isso implica, além de aproveitar o *boom* das *commodities*, termos capacidade de entrar na nova onda que está surgindo em resposta aos desafios do futuro: qual vai ser nossa estratégia a longo prazo, quais as novas áreas prioritárias de desenvolvimento em que vamos apostar, qual vai ser nossa matriz energética, em que novos produtos vamos investir, que modo de vida e de sociabilidade queremos.

No que vai dar tudo isso? Não sei. Mas não vai ser como no passado. A história não anda para trás.

Liberdade e igualdade

Quando nós éramos jovens, é verdade, a igualdade parecia mais importante do que a liberdade. Não sei se hoje a liberdade é mais importante do que a igualdade. De fato, nos países em que há liberdade, caso do Brasil, por exemplo, o tema da igualdade continua martelando. A pressão para um avanço na direção de mais igualdade é constante. Onde há igualdade sem liberdade o rumor da liberdade fica sufocado, mas não morre.

Eu diria que essa tensão entre liberdade e igualdade faz parte da história. Não houve regime que fizesse a igualdade completa e mantivesse a liberdade. E tampouco outro que mantivesse a liberdade plena e aumentasse a igualdade. A ques-

A tensão entre liberdade e igualdade é permanente. Faz parte da história. A questão é como compor a tensão entre esses termos.

tão, portanto, é como se compõe a tensão que existe entre esses termos.

Talvez no mundo de hoje os países nórdicos tenham se aproximado mais de um ideal de liberdade e de igualdade do que qualquer outro país. Com capitalismo mas também com ação de um Estado forte, sociedade organizada, forte pressão das pessoas, não do indivíduo isolado, é da pessoa, alguém que tem sentimentos, tem um impulso de solidariedade.

Acredito que o sentimento de igualdade, que está ligado ao de justiça, deva fazer parte do nosso ideário, ainda que seja utópico como motivação para uma transformação do mundo para melhor.

Não sei se podemos dizer, como os existencialistas, que a liberdade comanda. É forte dizer isso. Talvez possa se dizer que comanda nos países em que existe uma maior igualdade de oportunidades, de acesso. Ou então nos países em que a própria falta de liberdade faz com que o anseio por liberdade seja muito forte.

Um dos problemas do Brasil é que a ideia de liberdade está ligada ao liberalismo, inclusive político. E aqui nós pensamos que todo liberalismo é econômico. E como o liberalismo econômico leva à desigualdade, acabamos por não acreditar no liberalismo político, que e um valor. O liberalismo político é um valor que foi reivindicado pelos socialistas no século XIX, inclusive por Marx.

A liberdade como valor político é fundamental. A liberdade econômica como *laissez-faire*, sem contrapesos, é inaceitável.

A liberdade como valor político é extremamente importante. A liberdade como *laissez-faire* econômico é inaceitável sem contrapesos. Um regime de liberalismo econômico não leva nem à igualdade nem, no limite, à liberdade política. Mas há confusões entre esses termos.

A justiça como nova grande narrativa

Vamos falar agora de coisas mais "imateriais". Já mencionei que éramos movidos por sonhos, por sentimentos de indignação. Nossa geração foi também inspirada por alguns grandes *maîtres à penser*. Esses personagens hoje não estão mais presentes. É como se não houvesse mais "grandes narrativas". Será que esse fenômeno é irreversível? Nelson Mandela terá sido o último dessas grandes figuras com uma capacidade excepcional de convocatória?

Neste exato momento, na França, um senhor de 94 anos, Stéphane Hessel, escreve um livrinho de 40 páginas, intitulado *Indignai-vos*, e vende 3 milhões de exemplares. É preciso entender o que isso significa. Hessel invoca a Declaração Universal dos Direitos Humanos, da qual foi um dos redatores em 1948, para denunciar situações de injustiça como a ocupação da Palestina por Israel. Seu foco principal não é a situação na Europa. É um pouco uma volta aos *Damnés de la Terre*, livro clássico de denúncia do colonialismo por Franz Fanon nos anos 1960.

Hessel denuncia por um lado situações de expropriação de direitos e por outro o processo de mercantilização do mundo e a perda dos valores decorrente do predomínio do lucro e da ganância. A resposta à crise econômica global tem sido "injusta". Os ricos se safam e os pobres pagam a conta. Esse sentimento de injustiça é muito forte. O tema central da esquerda contemporânea é a justiça. Temos liberdade, mas para que serve a liberdade se não há justiça?

Creio que esse anseio, essa demanda por justiça, configura uma nova narrativa. Isso se aplica em primeiro lugar a situações dramáticas de negação de direitos. Até bem pouco tempo essas situações eram encontradas nos países mais pobres, sobretudo na África. Hoje há uma situação de injustiça gritante nos países desenvolvidos, na Europa e nos Estados Unidos. Há também uma indignação crescente frente à corrupção e à impunidade.

Mas há um outro elemento importante de novidade emergindo. Quem narra, quem exprime hoje essa demanda por justiça? No passado eram os *maîtres à penser*, o que chamaríamos hoje os grandes intelectuais públicos, os grandes formadores de opinião. Hoje essa narrativa se difundiu, ela se exprime por múltiplas vozes nos espaços da internet. São vozes fragmentadas que, no entanto, em determinado momento convergem e a sociedade ferve, podendo chegar até ao curto-circuito.

> **No passado a demanda por justiça era articulada pelos grandes intelectuais públicos. Hoje ela se exprime por múltiplas vozes na internet. O que parecia sólido se desmancha no ar.**

Esse processo de efervescência que estamos vivendo hoje, não só no mundo árabe mas também nas praças da Europa, me faz lembrar Maio de 1968. Sistemas aparentemente sólidos de repente se veem abalados por uma contestação que nasce de maneira frágil, mas se alastra com grande rapidez.

Tudo isso é muito novo e intrigante. Nós fomos marcados pelo conceito da transformação como ruptura. A revolução era o modo de quebrar a ordem existente e estabelecer a igualdade e a justiça. Havia uma classe predestinada a cumprir esse papel histórico, que era a classe trabalhadora, e a conquista do poder se daria pelo controle do Estado. O partido se apoderava do Estado e a partir daí transformava a sociedade.

Esse modelo evidentemente não funciona mais. Do ponto de vista da visão revolucionária do passado, as mudanças nos valores e nas condutas das pessoas eram criticadas como expressões do reformismo, não da ruptura. Isso não quer dizer que hoje não possa haver rupturas. Na Tunísia e no Egito o protesto ganhou tal força que provocou a queda do regime autoritário.

Nos regimes fechados, repressivos, a fervura da sociedade pode levar à quebra. Nos regimes abertos, democráticos, a efervescência não vem da ideia de alguém ou da iniciativa de um determinado grupo, ela exprime o protesto, a indignação de muitos. A comunicação amplifica e irradia o sentimento de injustiça.

A campanha eleitoral e a eleição de Obama se fizeram exatamente em cima desse sentimento generalizado de indignação com os desmandos do governo Bush, amplificado e irradiado via internet. A efervescência levou Obama à conquista da Presidência, mas não lhe serviu para mudar as instituições.

O próprio Lula de certa maneira era a expressão de um clamor pela chegada ao poder dos de baixo. É claro que o meu governo implantou políticas que melhoraram a vida dos pobres. Mas a minha pessoa não representava essa mudança no plano simbólico que a eleição do Lula representou. Uma vez no poder, Lula não realizou o que simbolizava. Mas ficam coisas. Isso exprime o fato de que as mudanças em sistemas complexos se fazem por acumulação, e não mais por ruptura.

O que se fez não se perde, o que eu fiz não se perdeu, o que o Lula fez não será perdido. Será provavelmente ampliado. Esse processo de

> **As mudanças em sistemas complexos se fazem por acumulação, e não por ruptura. O que eu fiz não se perdeu, o que o Lula fez não será perdido.**

transformação por acumulação faz com que, de repente, a sociedade mude de patamar. Passamos imperceptivelmente a uma nova etapa, em que conquistas que exigiram muito esforço passam a ser vistas como naturais e novas demandas aparecem.

O divórcio entre sociedade e política

Essa dinâmica positiva que estamos vivendo no Brasil não tem equivalente nem na Europa nem nos Estados Unidos. Temos um sentimento real de progresso, de que estamos melhor hoje do que ontem, e a esperança de que poderemos estar ainda melhor amanhã. É o contrário na Europa e nos Estados Unidos. Há um temor de que amanhã vá ser pior do que hoje. Ou seja, há um impasse e um sentimento de desesperança.

Para nós a sensação é a de que o futuro está chegando, enquanto que lá o receio é o de que o melhor tenha ficado para trás. Por isso insisto na necessidade de inovação. Ou esses países se reinventam e criam novas oportunidades ou ficam parados onde estão e aí tudo pode acontecer.

Situações de bloqueio são sempre perigosas. Nas sociedades com maior enraizamento democrático é muito difícil que retrocessos ocorram. Nas sociedades mais frágeis podem ocorrer retrocessos de diferentes tipos, regressões nacionalistas, demagogia anti-imigrantes, apelo a ditadores esclarecidos etc.

Aí entra em linha de conta um outro problema vinculado a esse de que estamos falando. De alguma maneira as instituições políticas da democracia representativa e do capitalismo financeiro não expressam mais as realidades emergentes das sociedades.

Esse é o núcleo da crise generalizada pela qual passam os partidos políticos de todos os matizes, bem como os sistemas de representação. Não é só aqui, no Brasil, que há um divórcio crescente entre sociedade e política. A desmoralização é geral.

E para complicar ainda mais as coisas, o sistema político está em crise, mas tampouco se pode imaginar a substituição disso por uma sociedade em permanente efervescência. Não há um enlace, um ponto construtivo de articulação entre a crise do sistema político e a emergência de novas formas de participação. Os dois processos correm em paralelo, o que faz com que o divórcio entre sociedade e política se aprofunde.

Nas sociedades em que a sensação é que as coisas estão progredindo, como a nossa, a dinâmica social coexiste com um desinteresse pela esfera institucional. A conversa que rola nas redes sociais não tem nada ou muito pouco a ver com a conversa que rola no Legislativo ou no Executivo. O Executivo ainda se liga com a sociedade porque toma medidas que afetam as pessoas. O Congresso também, mas as pessoas não percebem.

Há um divórcio crescente entre sociedade e política. O sistema político está em crise e a sociedade está criando novas formas de participação. Mas os dois processos correm em paralelo.

Enquanto tudo estiver andando bem, com uma prosperidade ainda que relativa, essa separação entre sociedade e política pode não trazer maiores problemas. Sem prosperidade o divórcio pode gerar situações muito mais complicadas. Pode favorecer o aparecimento de um demagogo.

Para sorte nossa, Lula, que com o seu poder de comunicação com a massa poderia ter enveredado por um caminho mais autoritário, fez prova de um certo respeito pelas instituições. Ao vir de uma estrutura como o sindicato, ele não é um quebrador de estruturas, ele respeitou as regras, ainda que as desmoralizando de quando em quando.

Se a situação fosse de bloqueio, de impasse, o caminho estaria aberto para a vinda de um Hugo Chávez. Não é o caso, e o Brasil avançou muito nas últimas décadas em termos de fortalecimento de uma sociedade aberta.

Por incrível que pareça, talvez haja um maior risco de contestação da democracia nos Estados Unidos do que em países como o Brasil. No mês de maio, num encontro privado, ouvi de Hillary Clinton uma frase que me impressionou. Ela disse que pela primeira vez estava sentindo, na história dos Estados Unidos, que o *business* estava indo para um lado e o governo para outro. Não estaria havendo convergência de visões entre o poder político e o poder econômico.

Os últimos acontecimentos ligados ao risco de calote da dívida americana aprofundaram ainda mais esse abismo entre poder, economia e sociedade.

Pode parecer banal, mas não é: nos Estados Unidos, o "ideal americano" dava solidez para um caminho em comum para o país. Havia tensões, tendências mais progressistas chocavam-se com outras mais conservadoras, o grande *business* sempre quis controlar mais de perto o governo, os governos ora se inclinavam para atender aos reclamos das maiorias ora assumiam a cara mais circunspecta de quem ouve as ponderações da ordem, da econômica em primeiro lugar. Mas, bem ou mal, liberdade, democracia, prosperidade e ação pública caminhavam mais ou menos em conjunto.

E agora, poderia perguntar perplexa a secretária de Estado? Agora, digo eu, parece que as classes médias e os mais pobres querem gasto público maior e emprego mais abundante, os conservadores querem ortodoxia fiscal sem aumento de impostos, os muito ricos pouco se incomodam com o gasto social reduzido, desde que a propriedade de cada um continue intocável.

No meio de tudo isso, a crise provocada pelo cassino financeiro surgiu como um terremoto. Logo depois veio o marasmo da semiestagnação e, pior ainda, se desenha o que há pouco era impensável, a moratória do país mais rico do mundo!

Por trás da peleja econômica corre a outra, mais profunda, a do poder: o Tea Party, os ultrarreacionários do Partido Republicano, levou o governo Obama às cordas. A agenda política, mesmo depois de "resolvida" a questão do endividamento, passou a ser ditada por eles: onde e quanto cortar mais no orçamento de um país que clama por muletas para reavivar a economia.

Na Europa, as coisas não andam melhor. Cada solavanco da economia americana aumenta o contágio, essa doença internética: as taxas de juros cobradas dos países ultraendividados vão para as nuvens. A rua se agita, não faltam movimentos dos "indignados", que veem o povo sofrer as agruras do desemprego e da desesperança e ainda ser cobrado para que as contas se ajustem.

E, naturalmente, como nos Estados Unidos, os que mais têm e os que mais especularam ou esbanjaram (inclusive governantes imprevidentes) sacodem a poeira e querem dar a volta por cima. Esperam que mais aperto, mais rigidez no gasto público e menos salários resolvam o impasse. Não se estão dando conta de que a cada xis meses uma nova tormenta balança os equilíbrios instáveis alcançados.

Nos Estados Unidos existe hoje um abismo entre poder, economia e sociedade. Na Europa a rua se agita e protesta.

É como se daqui a 30 anos os historiadores olhassem para trás e dissessem, "ah, bom, a Grande Crise dos Derivativos começou em 2007/2008, foi mudando de cara, mas prosseguiu até que novas formas de produzir e de distribuir o poder começaram a dar sinais de vida lá por 2015/2020..."

Essa situação é muito complicada e exprime os dilemas em que se debate o governo Obama. Ele sabe que precisa lutar contra o desemprego e atender às demandas da maioria da população. No entanto, sua política econômica é percebida como favorável ao grande capital.

O sistema financeiro foi salvo, mas as pessoas continuam endividadas ou desempregadas. Isso leva a uma crescente polarização. O Partido Republicano adota uma postura cada vez mais fundamentalista antigoverno, o que reduz a possibilidade de entendimento com os democratas no Congresso e acaba por paralisar o próprio governo.

Essas situações de bloqueio e paralisia afetam os países tradicionalmente mais desenvolvidos, mas não os emergentes, como Brasil, China, Índia ou África do Sul. O que acentua os deslocamentos de poder e de riqueza dos velhos centros para os novos. Ou seja, as mudanças em curso são muito profundas.

Globalização da economia e fragmentação do poder

O único país com capacidade de intervenção militar global são os Estados Unidos e eles próprios cada vez podem menos. Basta ver o impasse no Afeganistão, onde não podem ficar nem sair. Esses realinhamentos de poder e a própria redução relativa do poder americano geram uma maior incerteza na ordem internacional.

A economia se globalizou muito, enquanto o poder se fragmentou. Não há mais uma superpotência dominante e não há uma nova ordem mundial legítima. A ONU perdeu força em função da intervenção unilateral dos Estados Unidos passando por cima do Conselho de Segurança. Não há consenso sobre um novo ordenamento global.

O G20 é um embrião disso. Diferentemente do Conselho de Segurança ou mesmo do G7, o G20 é uma instância mais legitimamente representativa das novas configurações de poder mundial. Mas o próprio G20 não tem meios para implementar suas decisões. Tem apenas um poder de persuasão. O poder de implementação continua com os Estados nacionais ou com a ONU, quando os membros permanentes do Conselho de Segurança concordam em agir. Outras grandes organizações, como a OMC e o FMI, tampouco estão subordinadas ao G20.

Ou seja, a ordem mundial precisa ser reconstruída no século XXI e para ser legítima a nova ordem terá que exprimir as configurações de poder que estão emergindo. Americanos e chineses vão compartilhar poder com os demais países? Ou vão consolidar sua aliança às expensas dos outros? A Europa continuará tendo um papel forte? E os BRICs, que papel vão jogar? Isso tudo está ainda em gestação. A utopia maior do futuro é a emergência da "humanidade como sujeito" de uma ordem verdadeiramente global. Mas como essa ordem global irá coexistir com os Estados nacionais que continuarão a existir? Como se redefinirá, uma vez mais, essa relação entre o particular e o universal?

A própria natureza dos grandes problemas contemporâneos — a eliminação da miséria e a ecologia em primeiro lugar, mas também o controle das epidemias, o terrorismo, as armas de destruição em massa, o crime organizado — irá necessariamente influenciar nessa redefinição de esferas que permanecerão sob o controle dos Estados nacionais e outras que serão crescentemente objeto de regulações transnacionais ou globais.

A essa lista de problemas globais podemos acrescentar outros temas como a regulação dos mercados financeiros para impedir a repetição das crises sistêmicas ou a salvaguarda dos direitos humanos.

Todos esses temas, que afetam diretamente a vida e o bem-estar das pessoas, são insuscetíveis de serem resolvidos por um único Estado, qualquer que seja, no âmbito de suas fronteiras. São, por definição, problemas transnacionais ou globais que requerem uma ação concertada dos Estados e das próprias sociedades.

> **A utopia do futuro é a emergência da humanidade como sujeito de uma ordem verdadeiramente global.**

Como assegurar legitimidade a essa ordem global emergente? Quais os valores que são realmente universais? Como deixar de confundir valores universais com interesses particulares? Impor pela força a forma americana de democracia no Iraque não faz sentido. Porém impedir a execução de mulheres pelo crime de adultério é justo.

Garantir a liberdade da internet é dar força a essa voz emergente, múltipla, fragmentada que já se está fazendo ouvir, com todas as dificuldades daí decorrentes. Sabendo também, de antemão, que a internet abre espaço para o bem e para o mal e não há como extirpar o mal a não ser fortalecendo o bem.

Nesse ponto talvez tenhamos algo a aprender dos chineses sobre visão confuciana baseada na dualidade entre o Yin e o Yang, a coexistência do bem e do mal. Temos, ao mesmo tempo, que reconhecer a existência do outro e definir limites que ninguém pode ultrapassar.

Cartesiano com pitadas de candomblé

Tenho a convicção de que o Brasil tem uma imensa contribuição a dar na resposta a esse desafio de convivência na diversidade. Nossa maior contribuição à construção dessa nova ordem internacional vai se dar no plano do *soft power*. Nós somos essa mistura, não somos dualistas. Portanto, não somos fundamentalistas, mas nem por isso destituídos de valores.

Costumo dizer, sou cartesiano mas com pitadas de candomblé. Se não tiver uma pitada de candomblé, não vai funcionar. Se for só candomblé, não avança. O mundo do futuro vai ter que ser um mundo de tolerância, de aceitação do outro.

Para aceitar o outro, será preciso também reconhecer os próprios limites e ter um pouco de ginga, de jogo de cintura. É fundamental ter princípios, mas não ser principista. Em certas situações, o exemplo, a persuasão e o convencimento são mais eficientes do que a força.

O Brasil tem essa vantagem, que provém do que nós somos. Temos também outras vantagens, como uma sensibilidade muito particular ao tema do meio ambiente. Não é por acaso que o tema pega aqui. Mais de 60% da cobertura do Brasil é floresta original. Temos imensas reservas de água potável. Ao mesmo tempo o país é moderno, tem uma indústria forte, é agroexportador.

A diversidade aqui está em todos os planos. Deveríamos falar mais forte no plano global, não só porque temos poder econômico. Isso, outros têm mais do que nós. Temos uma cultura de aceitação da diversidade. Maior aceitação, não ainda aceitação total. Devemos, é claro, valorizar isso sem idealizações. Temos também e sabemos que temos, preconceito, desigualdade, mas temos esse lado cultural caleidoscópico.

Isso nos permite desempenhar um papel na construção dessa utopia de uma convivência universal entre diferentes. A volta da ideia de humanidade. Um novo humanismo como utopia do século XXI. É claro que, como toda utopia, essa não vai se realizar. Por definição, a utopia não se realiza.

Eu sempre usei uma expressão que os mais simplistas me criticaram dizendo que estava falando bobagem. Falei de uma "utopia viável". Uma contradição nos termos. Mas fiz de propósito. Tem que ter um sonho, uma meta e um caminho, viável, que possa nos levar na direção aonde queremos chegar.

Eu gosto muito da ideia do Albert Hirschman sobre os "limites do possível". O limite do possível pode ser, por um lado, uma ideia conservadora, um realismo terra a terra. Pode-se ir até certo ponto, mas não além. Mas a ideia de estender, ampliar os limites do possível, essa não tem nada de conservadora. É a arte de construir as condições para chegar aonde se quer chegar. É um processo, uma construção.

> **Não somos fundamentalistas, mas nem por isso destituídos de valores. Nossa cultura de aceitação da diversidade nos permite contribuir para a construção da utopia de uma convivência global entre diferentes.**

É a mesma coisa no plano internacional. Neste sentido o *Indignai-vos* é isso, é uma denúncia, um chamamento à afirmação de outros valores. Repito, a maior novidade talvez seja que, antes, essas mensagens eram articuladas pelos *maîtres à penser*. Hoje são discutidas por todos. Cada um pensa pela própria cabeça e fala.

Nos anos 1950 e 1960 na França, por exemplo, o debate era polarizado entre Sartre e Aron. Os campos eram bem-definidos. Hoje não tem nada disso. Mas diante dessa nova realidade, mais difusa, ou a gente se adapta ou tem uma atitude reacionária, nostálgica, de dizer bom era antigamente...

Tem gente que se diz progressista e é conservadora. Tem medo de mudar. O novo para mim é uma mudança de cabeça, é a sociedade que avança sem ser controlada por um partido ou pelo Estado.

Nesse sentido, tem muita gente que pensa que é progressista e é conservadora, não quer mudar, não aceita a emergência do novo. Quer que o estilo antigo de ser progressista continue a prevalecer quando não pode mais prevalecer.

Quando me perguntam "você é de direita ou de esquerda?" respondo que é preciso, primeiro, nos entendermos sobre os termos. Ser de esquerda, para mim, não é mais querer quebrar a ordem social, imaginar que uma classe salvadora vai fazer a revolução, não significa mais que o Estado vai ser o ator predominante, mas tampouco significa o oposto, que o mercado vai resolver todos os problemas.

O novo, o importante para mim é uma mudança de cabeça, de comportamento, de cultura e a aceitação de que há novas formas de fazer com que a sociedade avance que não são controladas por um partido ou pelo Estado. Tudo isso dentro de limites. Porque também já disse que a pura efervescência não basta.

A sociedade contemporânea precisa de instituições, mas as instituições também mudam. O fato de que a sociedade não ferve o tempo todo não quer dizer que seja abúlica, indiferente, incapaz de indignação. Não é assim.

Vou dar um exemplo preciso. A situação da corrupção no Brasil atingiu um tal nível, se banalizou tanto, que dá a impressão de que nada vai acontecer. Vai. Chega um momento em que a sociedade vai dizer que não dá mais.

Estamos assistindo a tanta corrupção, tanto escândalo, tanta quebra de normas, tanto comportamento que não corresponde ao que deveria ser o comportamento exemplar dos que mandam, que me pergunto se não chegará um momento em que se alguém gritar "Basta!", isso não mude.

Esse momento é sempre perigoso, porque pode surgir um demagogo que utilize a indignação como arma para destruir as instituições. A capacidade de aceitação pela sociedade de situações inaceitáveis tem limites. Qual é esse ponto de limite só se sabe depois, nunca antes.

Mapa-múndi

O mundo de hoje não é um mundo de conformados. É um mundo de gente que quer ter
opinião. O mal-estar não é o de um indivíduo
isolado. É a expressão de uma vontade de
"estar", de "bem-estar".

Uma nova sociedade:
menos organizada, mais conectada

O Brasil está mudando e para melhor. De um modo ou de outro, todos nós temos essa sensação no Brasil de hoje. Talvez por isso a palavra da moda seja "emergente": Brasil, país emergente, uma classe média emergente etc.

A sensação de mudança não é, em si, uma novidade. Países mudam e o Brasil vem mudando faz bastante tempo. A novidade vem da percepção de que estamos vivendo um desses momentos de ruptura e de transformação, em que a mudança se processa num ritmo tão intenso que configura a emergência de algo novo, que não se sabe bem o que é e que não repete o que existia antes.

A sociedade brasileira sempre foi marcada por uma forte mobilidade social. Todas as pesquisas mostram que a mobilidade acompanhou os processos de integração nacional, crescimento urbano e industrial que ocorreram ao longo do século XX.

Mas se nos perguntarmos o que caracterizava a mobilidade social no século passado, a resposta era o surgimento de novas camadas sociais que faziam seus os valores existentes na "boa sociedade". Essa "boa sociedade", por sua vez, era entendida como a classe média tradicional e o Estado. Esses eram os segmentos nos quais se geravam as normas definidoras do que é bom e do que é ruim.

O Brasil está mudando, mas a mudança atual não repete o que existia antes. Estamos trilhando novos caminhos.

Nesse sentido, ao entrar no mercado de trabalho e colocar seus filhos na escola, a expectativa dessas novas camadas era a de que iriam repetir o caminho das gerações anteriores. Ou seja, as pessoas tinham um sentimento real de que estavam progredindo, melhorando de vida, subindo na escala social. Mas a escala estava dada.

Hoje as coisas se passam de maneira diferente. A escala não está dada e os caminhos que estão sendo percorridos não são os mesmos que foram percorridos pelos pais. São novos caminhos. Essa sensação de estar vivendo algo inédito traz consigo uma sensação de insegurança. Todos percebem que algo está acontecendo. As coisas estão mudando. Mas que mudança é essa, para onde estamos indo?

O noticiário nos fala quase diariamente de coisas novas. Fala-se muito também da emergência de uma "nova classe média". Como definir essa nova classe média? Penso que se trata, em primeiro lugar, de uma classe de renda. Aumentou consideravelmente o número de pessoas no Brasil com uma renda que corresponderia a um nível intermediário na escala de salários. Dito isso, ninguém sabe ao certo do que se está falando. Na verdade, as "novas classes médias" são muitas.

Há, por exemplo, uma classe média composta por profissionais. Mas de que profissão? Antigamente, progredir era conseguir que seu filho estudasse e, mais tarde, se formasse como advogado, médico ou engenheiro. Eu mesmo quebrei um pouco esse padrão quando escolhi ser sociólogo...

As opções disponíveis eram poucas, porém bem-delineadas. Hoje não é assim. Tenho um neto que quer estudar desenho industrial. Até há pouco tempo, a expectativa era que ele fosse pelo menos fazer arquitetura. Ele não quer e não vai fazer arquitetura. Vai fazer desenho industrial.

Acabei de terminar um documentário sobre a questão das drogas e percebi que para fazer um filme desses é preciso chamar pessoas que vão desempenhar funções, não profissões, cujo sentido eu sequer entendo: mixagem, pietagem, layout, sound track... Alguns moram em Londres ou em Los Angeles. Outros aqui.

Podem ou não ser brasileiros. Juntam-se, trabalham em equipe durante um certo período, depois cada um segue com sua vida. Mas a confecção do filme implica combinar todas essas competências. É gente jovem que lida com tudo isso com uma naturalidade que me surpreende.

Esse é um exemplo concreto tirado da minha experiência que pode, é claro, ser multiplicado por mil. Na sociedade de hoje funções es-

As novas classes médias são muitas. As profissões do futuro estão sendo inventadas hoje. Não se aprendem em escolas ou universidades.

tão cada vez mais sendo ocupadas por pessoas que as estão inaugurando. Não se formaram em grandes escolas ou universidades. Em grande medida, vão aprendendo no próprio trabalho, aprendem fazendo, aprendem uns com os outros.

Tudo isso é profundamente novo: novos modos de fazer, de trabalhar, de juntar competências etc. Esse conjunto de dinâmicas e de oportunidades que antes não existiam dá a sensação de que estamos inovando, avançando, mas não se sabe muito bem para onde vamos.

No passado também avançamos. Mas a diferença está em que tínhamos uma ideia clara de para onde queríamos ir e estávamos indo. Tínhamos um norte. Nos mais variados níveis. Comecemos pela parte macro. Do ponto de vista econômico, o que significava o Brasil crescer? Era repetir os processos que tinham acontecido em outras partes do mundo.

Havia modelos a serem seguidos. Falava-se, por exemplo, de um modelo prussiano para o Brasil. O que era isso? A Alemanha, que tinha chegado tarde ao desenvolvimento capitalista, mais forte na Inglaterra e nos Estados Unidos, baseou seu crescimento num Estado forte e investimento pesado na indústria do aço e do carvão. Ou seja, fechamento da economia e papel preponderante do Estado. Acabou no Hitler...

Aqui não deu em Hitler nenhum, mas qual era nossa aspiração? Protecionismo. Fechar a economia e fazer o que se chamava então de "substituição de importações". Copiar e produzir aqui o que antes se importava. Não estávamos criando uma coisa nova. O caminho do progresso era entendido como repetir o que dera certo fora.

Chegamos a ser bastante competentes nisso. Com variações ao longo do tempo, tivemos momentos de crescimento acelerado. Por exemplo, na década de 1970, em que a taxa média de crescimento foi superior a 7% ao ano.

Esse dinamismo econômico já era a nova sociedade emergindo? Não creio. Era a nova economia. A sociedade estava apenas inchando. O que houve no Brasil nos anos 1950 a 1970 foi um inchaço do já existente: migração, expansão de favelas e periferias nas grandes cidades, colapso dos serviços públicos, que não tinham mais condições de oferecer educação e saúde para mais gente.

O que levou a um aumento das demandas sociais. As pessoas se queixavam, reclamavam, com uma certa nostalgia da velha sociedade. "Bom era antes, lá atrás, no tempo em que a escola pública era de qualidade. Eu fui da Escola Normal Caetano de Campos, estudei na USP..."

No passado, o caminho do progresso era repetir o que dera certo fora. A economia brasileira cresceu, mas a sociedade não mudou, apenas inchou.

A aspiração das camadas ascendentes era repetir o caminho que havia sido percorrido no passado pelas camadas bem-sucedidas. Nos anos 1950, 1960, 1970, a economia crescia, a sociedade também, mas dentro de parâmetros estabelecidos. A meta era repetir esses parâmetros. Para tanto, precisávamos nos proteger dos outros para poder crescer, na expectativa de que com o crescimento seria possível generalizar a antiga sociedade.

Será que o que está acontecendo hoje é a mesma coisa? Acho que não. Primeiro porque não se consegue mais fechar nada, nem a economia. Mas sobretudo porque se está criando uma sociedade cujo dinamismo é muito diferente da sociedade anterior. Ninguém diz hoje: "Vamos generalizar o acesso à antiga sociedade."

Percebemos que há uma mudança grande em curso no Brasil. Percebemos que há também uma maior afluência. E não apenas nos grandes centros. Há mais recursos, oportunidades, coisas acontecendo por todo o país. Isso também é uma novidade. O progresso e a sensação de maior prosperidade estão se espraiando.

> **Ninguém propõe hoje generalizar o acesso à antiga sociedade. A interrogação sobre a sociedade hoje é mais desafiadora do que a questão do mercado.**

Claro que não dá para exagerar. Ainda há muita pobreza. Mas a centralidade do tema da pobreza está mudando. Qual o tema que nos apaixonava no passado? O "subdesenvolvimento". Não se falava nem em desenvolvimento. "Somos subdesenvolvidos." Lembram-se daquela musiquinha do tempo da UNE: "Era um país subdesenvolvido..." Subdesenvolvimento e pobreza, miséria. Teatro do Oprimido, estética da fome etc.

Esse problema não foi resolvido, mas é possível dizer hoje que houve avanços no enfrentamento da pobreza. As projeções indicam que estamos avançando e a tendência será avançar cada vez mais. *E La Nave Va.* Mas vai para onde?

Essa dúvida não se aplica tanto à economia, ao crescimento da renda. Havendo investimento, como tem havido, os programas do governo funcionando, havendo uma relação flexível entre o privado e o público, tudo indica que as coisas nesse plano deverão continuar avançando.

A interrogação diz respeito à sociedade. Para onde vai a sociedade? Ao contrário de antes, a questão da sociedade é mais desafiadora do que a questão do mercado. O mercado, hoje, é como que "dado". Isso é uma mudança muito significativa. Nos anos 1950 e 1960, dizíamos: somos subdesenvolvidos e para haver desenvolvimento precisamos de uma outra ordem econômica e social. Ou seja, socialismo. Não vai haver desenvolvimento se não houver socialismo.

Mais tarde, nos anos 1970, começamos a perceber que estávamos tendo desenvolvimento, crescimento da economia, algum progresso social sem socialismo. No final dos anos 1980 o socialismo entra em colapso com a queda do Muro de Berlim e a desintegração da União Soviética.

Em decorrência dessas mudanças, não está mais no horizonte a ideia de uma outra forma de organização socioeconômica. Ninguém mais propõe acabar com o mercado, coletivizar os meios de produção. Ninguém mais propõe que o planejamento substitua o mercado, embora se possa e se deva dizer que o mercado, por si só, leva à concentração de renda, a crises. É preciso regulação e, para isso, tem que haver Estado.

Os temas em debate mudaram. Embora a discussão sobre o crescimento da economia continue a ter importância, as grandes interrogações dizem respeito à sociedade. Como as pessoas vão se relacionar umas com as outras, como vão reagir diante dos fluxos de novidades que atravessam a sociedade. O que está acontecendo na sociedade?

Os dados mostram aumento de renda, formação de novas classes médias, mas ninguém sabe bem qual o significado político e social desse fenômeno. Quais as expectativas dessas pessoas? Como vão se comportar?

As mudanças não afetam somente essas camadas de menor renda que estão ascendendo. As camadas mais afluentes também estão passando por processos profundos de mudança. A formação de riqueza hoje não se dá apenas no chão da fábrica. O novo não está apenas no mercado financeiro. Está, por exemplo, na importância crescente dos fluxos de comunicação, dos circuitos da moda, do entretenimento, do turismo. Em uma palavra, na inovação como tal, entendida como invenção de coisas que não existiam antes.

Fortunas se formam com grande rapidez sem relação direta com a propriedade da terra ou com a produção que se dá no chão da fábrica, e sim como consequência do engenho humano, da capacidade de antever o que pode acontecer, criar e inovar mesmo que a inovação possa ter efeitos perversos, como aconteceu no mercado financeiro com os derivativos.

Essas dinâmicas configuram novos padrões de geração de riqueza. Não é mais a riqueza que se baseava na acumulação primitiva e, em seguida, desembocava na dominação de pessoas sobre pessoas.

Isso também favorece a emergência de lideranças empresariais com uma outra mentalidade. A importância da filantropia no mundo de hoje é um fenômeno global. Há um número crescente de bilionários que ganhou uma quantidade incrível de dinheiro, aparentemente sem que isso implicasse a exploração de outros. Gente como Bill Gates e os inventores do Google, Facebook e Twitter ganharam fortunas por sua capacidade de criar e de inovar.

Os temas em debate mudaram. A questão hoje é o que está acontecendo na sociedade. Como as pessoas vão reagir diante das novidades que afetam sua vida?

As mudanças em curso mexem com todas as classes sociais. No caso brasileiro, seu lado mais visível pode ser a emergência das "novas classes médias", mas vai além disso. Esses processos tampouco excluem a continuidade das velhas formas de acumulação de riqueza. Continua a haver gente que ganha dinheiro no chão da fábrica, continua tendo operário industrial.

Mas o que move a sociedade é a emergência do novo. Nós não estamos repetindo um padrão, aquele do nosso próprio passado, e talvez estejamos pela primeira vez não buscando repetir os padrões lá de fora. Algo próprio, original, difícil de compreender, está sendo gerado aqui e agora.

O resultado de tudo isso é o enfraquecimento de todas as antigas estruturas. Os sindicatos, por exemplo, no passado exprimiam o fortalecimento de uma classe social que, se não era dominante, lutava para aumentar seu poder na sociedade.

Hoje, a filiação aos sindicatos diminuiu muito e eles passaram a ter força na medida em que se transformam em cartórios. Não representam mais o novo. Falam pelo interesse dos próprios sindicalistas e de uma camada pequena, não pela massa dos que trabalham.

Os partidos políticos também estão em crise. Como estão estruturados segundo os padrões da antiga sociedade, a nova sociedade não se reconhece neles nem se sente representada por eles. Claro que, na hora do voto, escolhe um partido ou outro. Mas no dia seguinte não presta mais atenção nos partidos, na medida em que eles não captam, não discutem, não exprimem o novo.

Mas, afinal, o que é esse novo? A meu ver é o fato de que, a despeito da existência de estruturas, de uma ordem estabelecida, as pessoas estão cada vez mais se conectando por sua própria iniciativa, independentemente das estruturas preestabelecidas. As pessoas vão para a internet, entram no Facebook e têm amigos. Não é preciso perguntar se esses amigos são pobres ou ricos, qual sua origem familiar, qual seu nível de escolaridade. Nada disso tem a importância que tinha antes.

Vivemos numa sociedade em que o importante é compartilhar. Hoje, o grande divertimento dos jovens é contar o que fizeram. Uma família amiga minha foi para a Europa com os filhos. Esses, cada dia, antes de dormir, enviavam para seus amigos fotos de tudo que haviam visto e feito. No dia seguinte acessavam o Facebook para ver qual a reação dos amigos.

Não estou fazendo uma crítica. Estou tentando descrever e entender. É como se a fruição da vida passasse a ser, desse ponto de vista, mais coletiva. A privacidade, que era o bem maior da sociedade dita burguesa, bem-estabelecida, passa a ser uma coisa secundária. O que se quer é o contrário, que os outros saibam o que você está fazendo. Não se trata sequer de transparência, que, no final de contas, é um mecanismo para se saber o que está certo e o que está errado. Aqui não tem certo e errado. "Eu sou isso, eu estou fazendo isso."

Vivemos em uma sociedade em que tudo se compartilha. No passado o compartilhamento se dava por meio de estruturas organizadas, pertencimentos. Cada um tinha sido de tal ou qual colégio, tinha o seu partido, o seu sindicato etc. Hoje as associações continuam a existir, mas é possível para qualquer um saltar tudo isso. Saltar inclusive a nação, o país, na medida em que, virtualmente, é possível ter amigos no mundo inteiro.

Isso tem algum significado? Creio que sim, uma vez que estão sendo criados movimentos ou, pelo menos, predisposições anímicas e formas de socialização, de relacionamento de uns com os outros, muito diferentes dos que ocorriam no passado.

Correndo o risco de um certo pedantismo sociológico, o que era a ideia de "comunidade" no passado? Era viver uma mesma experiência, juntos, no mesmo momento. Encontrar o outro, face a face. Essa experiência bastava. Não era preciso o contrato. O contrato era a "sociedade".

É a emergência do novo que move a sociedade. Não estamos repetindo o passado nem seguindo modelos de fora. Algo original está sendo gerado aqui e agora.

Hoje as experiências são compartilhadas a distância. Não sempre, claro. Mas com as novas tecnologias de comunicação, o espaço deixa de ser um obstáculo para que se possa compartilhar, *anytime, anywhere*.

Criam-se "comunidades virtuais". Isso é uma imensa novidade. No passado, comunidade, por definição, não podia ser virtual. Implicava o cara a cara.

Sociologicamente, na comunidade as relações são diretas. Na sociedade, não. É mais complexo, tem a divisão do trabalho etc. Hoje existe a possibilidade de criar uma comunidade virtual que compartilha, ao mesmo tempo, uma mesma experiência, independente do espaço. Tudo se passa on-line.

O fascinante é que esse novo mundo coexiste com o mundo antigo. O mundo em que vivemos hoje é isso e é o outro também. A comunidade virtual e o mundo real, o trabalho, as estruturas etc. A interação entre comunidade virtual e mundo real é permanente. Essa complexidade, que é imensa, dificulta a mim e a qualquer um entender o que está acontecendo, para onde estamos indo.

Tudo isso mostra que está emergindo uma sociedade que é diferente da anterior. A discussão, a partir daí, é a mais aberta possível. E as classes sociais? Claro que as classes existem. Mas o que é classe? Não é só renda. É também uma formação comum, mentalidade, comportamentos, uma cultura comum.

Hoje, é óbvio, persistem as disparidades de renda. Uns têm mais do que outros. Uns são associados à Fiesp [Federação das Indústrias do Estado de São Paulo], outros aos sindicatos de trabalhadores. Isso é verdade, mas, ao mesmo tempo, há outras dimensões.

As formas de socialização estão mudando. Hoje, o importante é compartilhar. Comunidades virtuais coexistem com o mundo real.

A sociedade, ao contrário de ser unidimensional, como pensava Herbert Marcuse, guru dos movimentos de contestação dos anos 1960, é uma sociedade pluridimensional, constituída por indivíduos que têm uma pluralidade de dimensões no seu ser social. Cada um se conecta e se desconecta o tempo todo, inclusive utilizando os mais variados modos de conexão.

Ninguém age da mesma maneira o tempo todo. A juventude que está conectada na internet vai à escola. Na escola, o jovem vai ter relações face a face, vai ter que conviver com regras, vai se associar ao grêmio ou não, vai gostar de tal ou qual professor ou não.

A sociedade que está emergindo é estranha e complexa. O que é uma maneira elegante de dizer que não se sabe exatamente o que ela é, como funciona e para onde está indo. O primeiro passo é reconhecer as mudanças. Quem não reconhece as mudanças se condena a viver angustiado, pois vai julgar o que está acontecendo hoje pelo padrão do passado. Vai achar tudo ruim ou vai dizer "não sei onde vai dar isso", que é uma reação de medo. O medo é uma reação diante do desconhecido.

Quem não reconhece as mudanças vai julgar o presente pelo passado e vai ter medo, que é uma reação diante do desconhecido.

Quando não se entende o que está acontecendo, a tendência também é julgar em função do passado. Ora, julgar o presente pelo passado é condenar o presente. Ou a ser passado, considerado como bom, que não é, ou a ser uma coisa amedrontadora. Isso vale para tudo. Para a sociedade, mas também para a economia. Ideias fixas, visões dogmáticas, bloqueiam o entendimento do novo.

Minha geração foi criada dentro da ideia de que a riqueza era fruto da exploração do trabalho alheio, por meio da apropriação privada dos meios de produção, geradora da diferenciação de classes e da luta entre elas. Fomos criados com a ideia de que "mudar era revolucionar", no sentido de quebrar a estrutura preexistente de classes e mudar a ordem de dominação.

Essa visão predominou até a virada dos anos 1980 para 1990. A impressão, então, de que nada está mudando na medida em que não está havendo revolução, é uma visão, no fundo, profundamente conservadora.

Sabíamos também muito bem quem estava de um lado e quem estava do outro. Quem queria manter a ordem estabelecida e quem queria mudar. Para a visão progressista, "de esquerda", a palavra de ordem era quebrar a ordem e instaurar uma nova, diferente. Hoje essa ideia não encontra mais suporte na sociedade.

A visão de que nada muda quando não há revolução é conservadora. Os nostálgicos do passado, incapazes de entender o presente, calam sobre o futuro.

No Brasil de hoje, qual é a força expressiva da sociedade que situa o conflito entre os que querem a apropriação coletiva dos meios de produção e dos que não querem? À exceção de grupos bastante minoritários, não há nenhuma força política ou social com peso na sociedade que esteja propondo esse modelo de mudança.

Os nostálgicos do passado, incapazes de entender o presente, calam sobre o futuro. Não têm o que dizer, ficam sem saber o que é bom e o que é ruim. Quando vão falar sobre o presente analisam com os olhos do passado e acusam o adversário, seja quem for, de estar do lado errado.

No caso brasileiro, a redemocratização se deu quando o Muro de Berlim ainda estava de pé. Nessa altura, o peso da União Soviética, somado ao da China e de Cuba, ainda se fazia sentir, levando alguns a dizer: "Aquilo lá, sim, é o progresso." Já era discutível para muitos, mas ainda havia quem falasse em socialismo. O lado bom era o campo do socialismo em oposição ao do capitalismo.

Quando os partidos atuais se formaram, nos anos 1980, ainda no embalo dessa visão, emergiu claramente agrupado, em torno do PT, um conjunto de forças que exprimiam essa visão. O PT nunca disse que tipo de socialismo queria, mas a referência era o socialismo. No limite, portanto, favorável a uma apropriação coletiva dos meios de produção.

O PT era mais resistente à ideia de um Estado controlado pela classe trabalhadora e à ditadura. Dentro do PT havia quem achasse isso. Havia também gente que tinha outras posições. Os cristãos tinham uma visão comunitária, focada na pobreza, nos pobres, mas também eram contra a propriedade privada.

O PT se formou como partido dos trabalhadores, "do pro letariado", pelo menos no linguajar e nas aspirações da época. Esse foi justamente um dos pontos centrais de minha discussão com eles na época. Eu dizia: "Olha só, essa camada está minguando, está diminuindo, no Brasil e no mundo. Inúmeros estudos atestavam isso. Vocês estão formando um partido do passado." Eu propunha uma visão mais aberta, um partido que incluísse mais gente.

O PSDB, por sua vez, se contrapunha a essa visão, temendo as consequências para a democracia de uma visão estreita, excludente, e também porque era menos favorável à coletivização dos meios de produção como única solução. No entanto, ele também, para poder existir nesse ambiente, foi buscar seu nome e referência na social-democracia europeia.

Com o olhar de hoje, podemos dizer que essa escolha estava não só fora da realidade brasileira como também fazia parte do passado. Portanto, estava fora e atrás. Eu não era favorável a esse nome, mas fui derrotado na Convenção. Eu dizia, como vamos apresentar como social-democrata um partido que não tem sindicatos?

Os partidos social-democratas da Europa se formaram para generalizar o Estado de bem-estar social: educação, saúde, previdência. O grande instrumento para alcançar esse objetivo foram os sindicatos, os grandes beneficiários os trabalhadores, ou seja, os que não tinham acesso a esses benefícios sociais. Os comunistas propunham a revolução. Os social-democratas, não. Queriam ampliar o bem-estar. Para tanto, era preciso mais Estado e menos mercado.

No Brasil o problema era outro. A grande questão eram os excluídos, que não eram os trabalhadores. Estamos falando dos pobres, dessa imensa camada dos que estão à margem, fora inclusive dos sindicatos. Na verdade, tanto o PT quanto o PSDB, para não falar de outros partidos menores, estavam condicionados por uma mesma visão de uma sociedade em que a estrutura de poder e o controle do poder precisavam ser mudados.

Para o PT, os social-democratas eram traidores. Para o PSDB, os petistas eram totalitários. Ambos estavam defasados da realidade.

Era nesse cenário que se produziam as diferenças e os conflitos: os que queriam uma revolução mais profunda acusavam os social-democratas de traidores; esses diziam que aqueles eram totalitários.

Com o passar do tempo, o PT foi se transformando realmente no partido dos assalariados, não dos trabalhadores nem, na verdade, apenas dos assalariados. Lula no poder falava muito mais no povo, nos pobres. A linguagem do sindicato foi perdendo força, ao mesmo tempo em que o poder do sindicato aumentava dentro da estrutura do governo.

Aumentou o poder do sindicato no sentido de uma organização corporativa funcionando como um *lobby*. Aumentou o corporativismo sindical, mas com uma visão de benefício para a corporação, não para a maioria.

Já o PSDB foi ficando até mesmo sem esse discurso. Como o programa do PSDB foi de modernização do país, ele não tinha como fazer o discurso de uma corporação. O discurso tinha que ser mais global.

A modernização do país incluía quebrar as amarras da visão antiga de um crescimento fechado como precondição para repetir o crescimento que havia acontecido lá fora, o que implicava integrar a economia e mudar o Estado, entendido como um instrumento de crescimento ao lado do setor privado.

O PSDB ficou perdido, sem saber se assumia publicamente essa nova visão ou não.

O meu governo disse, mas o partido ficou acanhado de dizer: "Olha, o que dizíamos antes não tem mais sentido hoje, a situação é outra." Já o PT fez no governo a mesma coisa que nós havíamos feito, porém sem jamais assumir que sua visão havia mudado.

Isso mostra a profundidade das mudanças e como elas forçaram as estruturas partidárias, como condição de sobrevivência e de preservação de sua capacidade de agir no mundo real, a mudarem de posição sem, no entanto, admitir que estavam fazendo isso. É difícil se libertar do peso das ideias antigas... No mundo real, as práticas mudam, mas o discurso tem dificuldade de acompanhar a mudança. Fica defasado.

Cito um exemplo significativo: na última campanha eleitoral, o tema da reforma agrária, expressão por excelência de mudança no sistema de propriedade, não foi abordado por ninguém.

Na verdade os partidos não são capazes de tratar das questões reais que interessam ao dia a dia das pessoas. Estão cada vez mais desligados do mundo real. Isso aumenta o divórcio entre sociedade e política. A vida política institucional, o Congresso, os partidos, é algo que se passa lá em Brasília. O que acontece fora de Brasília é outra coisa.

O governo não pode viver só do Congresso e o próprio Congresso passa a ser visto pelo governo e, também, em parte, pela sociedade como um empecilho para se fazer o que a sociedade precisa. Daí provém o desprestígio do Congresso, dos partidos. Não apenas desse congresso ou desses partidos.

É difícil se libertar do peso das ideias antigas. As práticas mudam, mas o discurso não acompanha a mudança. Fica defasado.

Isso não é um fenômeno apenas brasileiro. Ocorre na Europa, ocorre nos Estados Unidos, com menos intensidade porque na tradição americana a sociedade não espera tanto do Estado e do sistema político. No Brasil temos hoje uma enorme desconexão entre sociedade e política. Não sei se será possível algum tipo de reconexão entre essas esferas. Pelas razões que apontei acima: a nova sociedade está se conectando de outra maneira.

Esse processo é muito forte e já afeta o próprio governo, que cada vez mais lança mão do e-gov, ou seja, de portais na internet onde as pessoas podem acessar todo tipo de informações e serviços. O governo e o próprio Congresso já estão começando a usar, timidamente, a internet para realizar audiências públicas sobre projetos de lei.

A sociedade já faz isso de forma aberta e espontânea. Tudo é discutido pela internet nos mais variados espaços e plataformas. Essa revolução não chegou às estruturas partidárias. Chegará algum dia? Não sei. O descompasso é grande entre a velocidade das mudanças na sociedade e a esclerose das estruturas políticas. Tenho proposto que o PSDB crie diretórios virtuais, que dentro ou fora dos partidos se criem portais de debate sobre temas de interesse das pessoas. Mas tenho falado sozinho.

Se nosso objetivo é suscitar não mobilização nos termos antigos, mas participação nos padrões de hoje, há que entender essa capacidade que as pessoas têm de se conectar e se desconectar. Elas se ligam e se desligam. Não há mais a velha noção de pertencer a um partido.

A participação é variável. A mobilização se dá em cada momento, em relação a um determinado tema. O interesse e a vontade de agir são suscitados pela questão em debate. Cada questão sensibiliza determinadas pessoas, e não outras. Não há mais adesões em bloco a pessoas, programas ou partidos.

Isso levanta imensos desafios. Há que conviver com a pluralidade de opiniões, com a multidimensionalidade dos temas, com ritmos e tempos de debate que oscilam, com comunidades de interesse e de afinidade que se fazem e se desfazem. A pergunta é como lidar com essa fluidez e, ao mesmo tempo, gerar pontos de referência, valores, caminhos que representem algo mais do que uma sucessão de debates tópicos.

Precisamos também nos acostumar com a ideia de que caminhos que hoje parecem os mais adequados podem valer por um certo tempo, não mais do que isso. No dia a dia essa fugacidade é muito complicada. Não para as pessoas que já estão operando nessa nova dinâmica. Menos ainda para as novas gerações, que já nasceram nesse mundo fluido e volátil. Para as gerações mais velhas a adaptação é mais difícil.

O descompasso é grande entre o dinamismo da sociedade e a esclerose das estruturas partidárias. A revolução da comunicação chegará algum dia aos partidos?

Para muitos de nós, a fragmentação e a instabilidade parecem um caminho de risco, ou melhor, de incerteza. Porque o risco pode ser calculado, mas a incerteza não. A imprevisibilidade hoje é tal que não se pode calcular nada. Simplesmente não se sabe o que vai acontecer. Como vai ser a socialização, a educação das pessoas para viver nesse mundo?

Lembro-me desde os tempos de estudante das discussões que tínhamos sobre a sociedade moderna. Ela se definia como uma sociedade de mudanças e era necessário que o ser humano fosse preparado para lidar com a mudança.

A sociedade capitalista moderna foi, de fato, uma sociedade marcada pela mudança. Ao contrário da sociedade socialista, que terminou por colapsar exatamente por sua incapacidade de lidar com as inovações tecnológicas que ameaçavam sua estrutura autoritária de poder.

O ritmo e a profundidade das mudanças de hoje são de outra natureza. No passado, o ritmo era mais lento e o impacto da mudança, menor. A revolução industrial no século XIX, sem dúvida, mudou muita coisa. No entanto, na Inglaterra, berço da revolução industrial, quantas pessoas foram afetadas pela invenção da máquina a vapor? Indiretamente, muitas. Diretamente, muito poucas.

Hoje é diferente. Quem não tem celular? A revolução das comunicações afeta a todos, de maneira imediata e direta. Uma das grandes virtudes da sociedade americana sempre foi sua incrível capacidade de transformar os inventos em instrumentos de melhoria da vida quotidiana.

As inovações tecnológicas afetam a todos de maneira imediata e direta. Como vai ser a educação das pessoas para viver num mundo fluido e volátil?

A máquina de lavar roupa e o forno de micro-ondas, por exemplo, liberaram as mulheres dos afazeres domésticos. As invenções se espraiavam pela sociedade e seu acesso era generalizado. Mesmo quando a motivação inicial era de natureza militar. O mesmo fenômeno se passou nos anos 1980 com os computadores e a internet.

O que envelheceu a sociedade soviética foi sua incapacidade de operar essa passagem de uma tecnologia de origem bélica para a vida quotidiana. A necessidade de manter o controle político sobre a sociedade fez com que a União Soviética tivesse o Sputnik, mas não o fax.

Os avanços nos armamentos e na corrida espacial não se traduziram em bem-estar para as famílias. Essa inflexibilidade certamente foi um dos fatores determinantes da implosão de todo o sistema.

A nova sociedade é definida pela expansão vertiginosa dessa capacidade de as pessoas se conectarem e desconectarem. O Brasil não foi pioneiro no desenvolvimento dessas tecnologias, mas certamente está demonstrando uma espantosa capacidade de assimilação desses processos. Até pelas más razões. A inflação, por exemplo, obrigou o sistema financeiro e o próprio governo a recorrer à digitalização para poder funcionar num ambiente de inflação acelerada.

Os dados sobre a penetração da internet na sociedade brasileira são eloquentes. Para não falar dos celulares, que se expandiram em velocidade vertiginosa, espraiando-se inclusive para as camadas populares. Ou do nosso fascínio pelos blogs. É isso que me leva definir o Brasil de hoje não como uma sociedade moderna, mas como uma sociedade contemporânea. Ser contemporâneo é diferente de ser moderno. Sociedade moderna é o que nós queríamos ser antes. É como nas artes. A arte de hoje não é mais a arte moderna. É a arte contemporânea.

Vale lembrar que contemporâneo, etimologicamente, quer dizer "que é do mesmo tempo". As pessoas no Brasil estão vivendo "ao mesmo tempo". Não todas, mas um número cada vez maior. As periferias estão cheias de lan-houses. O celular chega a todas as partes e, hoje, o celular é um minicomputador. Todos sabem usar. Isso é o que dá contemporaneidade ao Brasil.

Essa distinção, portanto, entre sociedades modernas e contemporâneas, é fundamental. Inclusive porque essa contemporaneidade está se universalizando. Veja a situação da China. O grupo dirigente quer preservar uma sociedade moderna, mas não contemporânea. Crescimento econômico, maior acesso à renda, mas não conexão livre e aberta.

A União Soviética, muito mais rígida, desmoronou por causa de sua incapacidade de adaptação. Não digo que o mesmo vá ocorrer na China, que é muito mais dinâmica. Mas algo terá que mudar para que a China seja efetivamente uma sociedade contemporânea.

Se dividíssemos o mundo em sociedades tradicionais, modernas e contemporâneas, constataríamos que estamos assistindo à passagem de sociedades tradicionais para contemporâneas. É o que está acontecendo no mundo islâmico neste momento.

> **O Brasil de hoje não se define mais como uma sociedade moderna. É uma sociedade contemporânea. Ser contemporâneo é diferente de ser moderno.**

Os ventos de mudança não estão sacudindo sociedades modernas, e sim tradicionais, ainda que com camadas modernas. Os impulsos de transformação estão sendo veiculados hoje por ferramentas e processos contemporâneos, como celulares, blogs etc.

Isso faz com que países como o Egito possam transitar de uma sociedade tradicional para uma sociedade contemporânea sem passar necessariamente pelo estágio da sociedade moderna. Esse cenário promissor vai se concretizar ou vai haver uma reação conservadora e autoritária? Não sabemos, ninguém sabe.

Temos que conviver com a incerteza. É muito possível que para os que já nasceram na contemporaneidade isso não seja um problema como é para as gerações modernas.

Minha geração e a que veio em seguida sabiam — ou pelo menos pensavam que sabiam — o que era o bem e o que era o mal. Queríamos a sociedade moderna, racional, secularizada, com separação entre Igreja e Estado, universalização da educação, até certo ponto também a democracia, sobretudo como sistema político.

Fomos criados assim. Aspiramos a que a sociedade fosse assim. O Brasil não estava sequer nesse patamar. Tivemos a ditadura, a educação não era para todos etc. E a incerteza nos deixava muito inquietos. Não sei se a sociedade contemporânea vai ser tão inquieta quanto eu sou. Provavelmente o modo pelo qual os jovens lidam com a inquietação é bem diverso das gerações precedentes.

É possível transitar de uma sociedade tradicional para uma sociedade contemporânea. Vai acontecer no Egito? Ninguém sabe. Temos que conviver com a incerteza.

Vou dar um exemplo pessoal. Para mim seria impensável que um professor da USP, como eu fui, pudesse renunciar a essa condição. Minha filha renunciou. Era professora doutora e pediu demissão. Abriu mão do prestígio da instituição, da segurança que ela representa. Decisões como essa, que são cada vez mais frequentes, exprimem uma percepção de que a sociedade contemporânea oferece mais oportunidades, permite mudanças de percurso, *second lives*.

Eu me lembro de que durante o exílio no Chile fui convidado para dar aulas na França num campus novo da Universidade de Paris, em Nanterre. Fui convidado pelo Alain Touraine para ser professor. Uma grande distinção. Eu tinha 36 anos, estava bem na Cepal, já era diretor adjunto.

O diretor do centro na Cepal era uma pessoa que eu adorava, o professor Medina Echeverría, grande sociólogo espanhol. Ele gostava de mim. Fui falar com ele sobre o convite e ele me disse: "Escute, você tem talentos diplomáticos, tem tudo para fazer uma carreira aqui nas Nações Unidas. Você já está dentro de uma grande estrutura. O mundo é das organizações."

E acrescentou: "Eu saí da Espanha com o franquismo — ele tinha sido embaixador da Espanha na Polônia e assessor das Cortes, do Parlamento da República — e pensei que ia voltar em dois ou três anos. Já se passaram 30 anos. Você saiu há pouco do Brasil e vai deixar o certo pelo duvidoso?"

O duvidoso era ser professor na França... A importância que dávamos às instituições era tão forte, a ideia de estabilidade, de segurança tão grande que a decisão parecia uma temeridade. Não era. Eu não fui para o duvidoso. Fui para um outro tipo de certeza. Arriscado era, mas era um risco que se podia calcular. O risco era eu não me dar bem na França.

Era assim que nós tínhamos sido criados. Com horror à incerteza. Podíamos aceitar ou não correr algum risco. Mas incerteza, não. Eu me pergunto: essa ideia ainda prevalece hoje entre os mais jovens? Eles vão ter horror à incerteza ou vão conviver com a incerteza? Dá para alguém conviver com a incerteza sem desorganizar sua personalidade? E na incerteza, dá para você se conectar e ser útil socialmente?

Estamos diante de novas questões, de uma nova situação. Estamos dizendo que a nova sociedade é fragmentada. Nos mais variados níveis: na vida política, na vida econômica, nas ocupações. É uma sociedade em que a pessoa tem um maior poder de decisão.

No passado a identidade de um indivíduo vinha do pertencimento a uma instituição. Hoje cada um pensa e decide por si. A solidariedade é virtual e variável.

Isso é um desdobramento de tendências que vêm do século XIX e XX no sentido da secularização e individualização. Tradicionalmente, a ideia de secularização — separação entre Igreja e Estado, público e privado, respeito ao indivíduo — requeria do indivíduo uma participação social. Portanto, um sentido de agregação em nome de uma causa ou de um interesse, de um valor. E essa agregação lhe era oferecida por alguma estrutura.

Hoje temos uma sociedade em que cada um é um indivíduo que pensa, escolhe, decide. Esse indivíduo pode não estar organizado, mas está conectado. Isso talvez esteja criando um sentido novo de solidariedade. Que não é mais, como no passado, a solidariedade ou pertencimento à família, a uma classe.

A solidariedade hoje é virtual e é variável. Possivelmente também efêmera. Mas os indivíduos não estão fechados em si mesmos, prisioneiros de seu próprio egoísmo. O que está acontecendo não é o que no passado representava a grande crítica que se fazia ao capitalismo individualista, liberal, competitivo, gerador de uma sociedade de egoístas, cujo sentimento da vida se esgotava na própria pessoa, em sua capacidade de ganhar dinheiro.

Por isso eu falei faz pouco dos filantropos. Dos que ganharam muito mas se sentem responsáveis, comprometidos. Não quero esboçar aqui uma nova utopia. Não se trata disso. Mas pergunto: será que essa sociedade, baseada na pluriconectividade, estaria criando pessoas egoístas, isoladas, fechadas em si mesmas?

Ou será que esses relacionamentos múltiplos estariam gerando uma consciência, que não é, como no passado, a consciência de classe, do pertencimento a um partido, e sim a consciência que cada um tem que se mover de vez em quando, por certas causas? E as causas são tão diversas quanto os interesses dos indivíduos.

A diferença está no "de vez em quando" e na pluralidade das causas. Nem sei se é correto falar de causas. Talvez devêssemos falar de motivações, razões, valores, que podem não ser os mesmos sempre, para todos, nem estão dados de uma vez por todas.

Na medida em que as pessoas se conectam, vivenciam compromissos. Que não são estáveis, não são permanentes, mas abrem espaço para todo tipo de debate e participação. É uma sociedade que debate. Mas a forma de debater é outra. O debate é pluritemático e intermitente. Tudo isso cria um novo espaço público onde nada está predefinido. A própria arena em que se dá o debate está sendo configurada à medida que a conversa se espalha.

No modelo antigo o debate público se dava nos partidos, no Congresso, nos movimentos sociais. Hoje as causas são tão diversas quanto os interesses dos indivíduos.

No modelo antigo, a arena estava definida. O debate se dava nos partidos, no Congresso e, no limite, nos movimentos sociais. Hoje o debate ocorre, na maioria das vezes, sem mobilização e com intensidades variáveis. Longos períodos de aparente calmaria podem ser, de repente, interrompidos por momentos de grande efervescência.

A sociedade contemporânea não ferve o tempo todo. Esquenta, ferve, depois cai a fervura, esfria. Mas o debate reaparece adiante. Com seus altos e baixos, idas e vindas de temas, é o ato ou o hábito de debater que é, por assim dizer, contínuo. De vez em quando, por caminhos imprevistos, o debate converge e leva a ações coletivas. E a ação tende a se amplificar com grande rapidez graças às tecnologias de comunicação. Em casos extremos, excepcionais, pode chegar até a gerar um curto-circuito no sistema.

As respostas às perguntas de hoje não serão as do passado. As respostas do futuro estão sendo inventadas, aqui e agora.

Tivemos um exemplo disso na Espanha em 2004, quando, em dois dias, milhões de jovens se falaram por celular, formaram sua opinião, mudaram seu voto e derrotaram o governo conservador de José Maria Aznar, que havia manipulado a informação sobre o atentado terrorista de Madri.

Essa irradiação das informações teve um papel muito importante na campanha do Obama para presidente. O mesmo fenômeno está ocorrendo hoje nas revoltas que sacodem os regimes autoritários do mundo árabe. Quando o governo da Tunísia bloqueou a transmissão da rede de televisão Al Jazeera, as imagens passaram a ser transmitidas diretamente para os celulares dos jovens que se manifestavam nas ruas.

A informação aberta, acessível a todos em tempo real, permite que cada um selecione, compartilhe, discuta. Estamos, portanto, confrontados com questões que desafiam a sociologia, a filosofia, a política.

Não creio que estejamos num momento em que se tenha receita ou resposta. Não sabemos qual a resposta a essas questões, mas certamente não serão as respostas do passado. As respostas do futuro estão sendo inventadas. Aqui e agora.

Um mundo em transição:
multipolar e pluricultural

No plano global, o mundo também está em transição. Há uma mudança nas relações de poder entre Estados e também um deslocamento de poder dos Estados para atores não estatais. Ou seja, estamos falando de um duplo fenômeno de deslocamento e de difusão do poder.

O primeiro fenômeno — as mudanças nas relações de poder entre países — é o mais visível. Um dos temas recorrentes hoje é o declínio dos Estados Unidos. Antes mesmo da ascensão da China já se falava de um declínio do poder americano.

O capitalismo, como se sabe, é um sistema extremamente dinâmico e seus centros propulsores mudam ao longo do tempo. Tivemos o capitalismo das cidades-Estado italianas durante o Renascimento, o capitalismo português e espanhol do tempo das navegações, depois o predomínio mercantil da Holanda, mais tarde a Inglaterra com a revolução industrial e, por fim, os Estados Unidos.

Os centros propulsores variam ao longo do tempo. Isso não quer dizer, no entanto, que a emergência de um novo centro implique a decadência do centro dominante anterior.

A dinâmica a que estamos assistindo agora é algo mais complexo. Em primeiro lugar, pela globalização, que leva a um grau sem precedentes a expansão possível do sistema produtivo e sua extensão a todo o globo, facilitada pelas novas tecnologias de comunicação, revolução dos meios de transporte e integração crescente dos mercados.

O poder está se deslocando entre Estados nacionais e está se difundindo dos Estados para atores não estatais.

A globalização não é um fenômeno exclusivamente econômico, deflagrado por inovações tecnológicas. Ela se articula com transformações no modo de viver, influindo sobre a cultura e a sociedade. Nesse sentido, aliás, a capacidade que os Estados Unidos têm demonstrado de produzir tecnologias novas e de espraiá-las rapidamente pela sociedade, fazendo com todos se adaptem aos novos tempos, talvez seja a característica mais marcante para definir o capitalismo americano contemporâneo.

Mas não se trata somente desses processos de fundo econômico com implicações culturais. Há também um fenômeno de natureza política que é o desaparecimento do que poderíamos chamar "o outro lado", ou seja, o colapso do polo alternativo à concepção prevalecente do desenvolvimento capitalista. Essa alternativa era corporificada pela União Soviética, subsidiariamente pela China, junto com os diferentes "satélites" desses astros principais.

A União Soviética se desintegrou já lá vão vinte anos. E a China emergiu como a grande surpresa do cenário internacional. De lá para cá não só ela não perdeu força como vem ampliando continuamente seu poder em moldes semelhantes ao do sistema capitalista.

Isso não estava em absoluto no horizonte do fim dos anos 1980. O que se previa com o colapso da União Soviética era a consolidação do poderio hegemônico dos Estados Unidos, como única superpotência. O que se discutia eram as condições para manutenção dessa hegemonia diante de uma Europa que se fortalecia com seu processo de integração e perante a emergência já perceptível da China.

Não se imaginava que a China viesse a competir — e com tanto êxito — dentro dos marcos fundamentais do modo de produção capitalista. Ainda que, politicamente, com a diferença fundamental advinda da centralização burocrática exercida pelo Partido Comunista Chinês e sua capacidade de, até certo ponto, planejar.

O que é novo é a vinculação da China com os interesses das empresas multinacionais e, mais recentemente, com os Estados Unidos, em função dos desequilíbrios financeiros. A China passou a ser a grande compradora da dívida americana e as grandes multinacionais — americanas e europeias — se deslocaram para a China para produzir em seu território e de lá exportar para o resto do mundo. Isso ninguém havia previsto.

O mundo atual é um mundo de competição dentro dos moldes do capitalismo, mas que traz consigo também uma outra questão: será possível a coexistência de uma forma de organização política, que supõe um controle centralizado de decisões e, sobretudo, de controle sobre informações e comportamentos, com a dinâmica de um sistema econômico fortemente apoiado na revolução dos meios de comunicação?

O que se temia é que a expansão da China representasse a expansão do comunismo. Não é o que está ocorrendo. A expansão da China é a expansão de uma outra forma de capitalismo, de um capitalismo de Estado com poder político centralizado. Esse modelo tampouco está sendo exportado, senão indiretamente por um efeito de mimetismo, ou seja, a atração exercida pelo sucesso do modelo chinês sobre algumas economias emergentes.

A emergência da China não é a expansão do comunismo. É a expansão de um capitalismo de Estado com poder político centralizado.

O que temos hoje, indiscutivelmente, é o fenômeno do deslocamento dos polos de poder econômico e, também, embora não automaticamente, de influência política.

Os Estados Unidos e a Europa Ocidental não são mais os únicos polos, na medida em que se dá um deslocamento de poder do Oeste para o Leste, fenômeno que começou, aliás, primeiro com o Japão. Vale lembrar que até bem pouco tempo o Japão era a segunda economia mundial. A capacidade do

Japão de absorver a economia capitalista, preservando, até certo ponto, elementos de sua cultural tradicional, também tinha sido uma surpresa.

No fundo, e isso é o fundamental, a ideia de que esse mundo globalizado ia ser um mundo homogêneo não se concretizou. O grande receio que era o da prevalência de um só modelo, o pensamento único, não aconteceu. O que houve foi a substituição de uma forma de produção em massa de base capitalista para um mercado de consumo de massas, mas não existe uma homogeneização cultural. Tampouco existe uma homogeneização política. Dentro desse grande molde há variedade. Portanto, nada de pensamento único.

A globalização econômica não levou a um mundo único. Os polos de poder são múltiplos e a emergência do Sul reforça a diversidade de culturas.

Esse é o quadro atual. Desapareceu o antagonismo em relação ao Ocidente e o Ocidente deixou de existir como único polo, na medida em que, de certa maneira, ocidentalizou o Oriente. Ao dizer isso não se está dizendo que o Oriente vai copiar o Ocidente. Não vai. O Oriente está mantendo suas formas próprias.

E temos também o fenômeno da emergência do Sul. O Sul inclui a Índia, o Brasil, a Turquia e o Irã, outros países da América Latina e, quem sabe, em breve, países da África, a começar pela África do Sul.

Este é o novo panorama do mundo: um cenário com crescente competição entre polos de poder. Do ponto de vista estritamente militar, os Estados Unidos continuam sendo o grande polo de poder. É o único país com capacidade de intervenção global, graças a sua rede de bases militares, porta-aviões, mísseis etc. É o único com capacidade de deslocar rapidamente tropas para qualquer lugar do planeta. A China, até hoje, não mostrou esse tipo de apetite. Sabe-se lá se no futuro virá a mostrar.

Os americanos continuam a desempenhar hoje o papel representado pela Inglaterra e pela França no período colonial. Mas com uma diferença fundamental, que é a dificuldade de lidar com outra realidade não prevista faz vinte ou trinta anos, que é a emergência do fenômeno religioso.

O peso do mundo islâmico na esfera global faz com que questões de natureza religiosa ganhem importância na esfera global, antes dominada por questões de natureza econômica e política. Inclusive com uma presença crescente do Islã, dentro da própria Europa e, em menor proporção, nas Américas, via emigrações e meios de comunicação.

A emergência do islamismo é um fator adicional de instabilidade na estrutura de poder no mundo. O fundamentalismo se desenvolveu no mundo islâmico curiosamente a partir de um núcleo de pessoas que viveram nos anos 1940 e 1950 no mundo ocidental e recusaram a modernidade.

Os Irmãos Muçulmanos, responsáveis pelo assassinato do presidente Anwar Sadat, do Egito, reprimidos durante décadas por líderes autoritários e modernizadores como Gamal Nasser no Egito, se refugiaram na Arábia e dali se espraiaram por diferentes países, como Sudão e Afeganistão, criando correntes fundamentalistas. A isso se somam as tradições de um Islã integrista na Arábia Saudita e no Irã.

De que serve o poderio militar americano perante os terroristas organizados em rede e dispostos ao sacrifício em nome da fé?

Surgiu uma nova geração de militantes, prontos a sacrificar a própria vida em sua luta contra o intervencionismo militar americano, em nome de objetivos que não são só políticos, mas têm também algo de sagrado, de transcendental. O confronto é assimétrico e nem por isso menos efetivo: os americanos têm armas nucleares, mas de que servem essas armas ante a determinação do terrorista individual?

O atentado às Torres Gêmeas em 2001 foi a manifestação mais dramática de um novo tipo de enfrentamento: pequenos grupos transnacionais, organizados em rede, desafiam o poder dos Estados.

Os Estados Unidos estão preparados para uma guerra convencional de combate a Estados. Intervieram no Iraque, derrubaram com relativa facilidade o regime de Sadam Hussein, mas não tiveram capacidade de pôr fim às lutas entre facções e à insurgência de inspiração fundamentalista.

Os americanos também intervieram no Afeganistão, derrubaram rapidamente o governo dos Talibãs, mas têm imensas dificuldades de controlar o território e parecem estar se atolando, cada vez mais, num lodaçal sem perspectiva nem de vitória nem de saída, repetindo de certo modo a experiência do Vietnã.

Por isso digo que esse novo mundo é curioso. O imenso poderio militar americano é impotente para lidar com novas forças e formas de atuação política. Estamos vivendo num mundo que é cada vez mais multipolar e multicultural.

Até a queda do muro e o colapso da União Soviética a estrutura de poder mundial esteve congelada graças ao equilíbrio pelo terror. O risco era o de uma guerra entre as superpotências e o papel da ONU o de buscar a todo custo soluções que evitassem esse confronto catastrófico.

Saímos de uma situação estática, marcada pelo risco, para uma situação de mudança constante, marcada pela incerteza. A aceleração das mudanças e sua imprevisibilidade, ao invés de diminuir, agravam o clima de incerteza.

E é de incerteza mesmo que se trata, ou seja, não estamos falando de um risco previsível e calculável. O risco de um conflito entre Estados Unidos e União Soviética era, até certo ponto, mensurável. Diante da extensão do risco, claramente percebido, os próprios contendores chegavam a um momento em que davam uma freada na "marcha para a insensatez" e paravam a escalada de ameaças recíprocas.

O passo irremediável, que seria a utilização das armas atômicas, não foi jamais dado, na medida em que cada contendor era capaz de prever as consequências da retaliação pelo adversário. Assim foi no momento de perigo máximo, a crise dos mísseis cubanos em 1962. John Kennedy e Nikita Kruschev chegaram até o limite e aí pararam.

Hoje é diferente. Estamos num mundo em que, de repente, podem se desencadear processos — como o curto-circuito que estamos vivendo no mundo árabe — que ninguém sabe como podem evoluir e até onde podem chegar.

Esse é um mundo em que a integração econômica avançou muitíssimo sem se fazer acompanhar por uma integração política que garantisse, perante mudanças tão rápidas, instrumentos de governabilidade capazes de controlar excessos e assegurar um mínimo de estabilidade. Esses instrumentos simplesmente não existem. O que há são os mecanismos criados ao fim da guerra mundial, em 1945, com a fundação das Nações Unidas e os acordos de Bretton Woods.

Os riscos de uma guerra nuclear eram previsíveis. O mundo de hoje é instável e incerto. Os mecanismos de regulação não asseguram estabilidade.

Os mecanismos previstos no âmbito da ONU, Fundo Monetário, Banco Mundial, OMC, tudo isso continua funcionando, mas em base a Estados nacionais que operam hoje em interação global. Inúmeras instituições transnacionais foram criadas ao longo dos últimos 60 anos. No entanto, essas estruturas não dispõem dos instrumentos necessários para fazer frente a processos que, sem estar amparados em qualquer Estado, disparam no mundo real, afetando economias e sociedades.

A inexistência de mecanismos de regulação no plano econômico foi posta a nu com a eclosão da crise econômica global, deflagrada no final de 2007 e que explodiu mesmo em 2008 e 2009. A crise evidenciou a incapacidade dos Estados e da comunidade internacional de prevenir e regular os desvarios de um sistema financeiro potencializado pelos meios de transmissão acelerada de dados.

A própria moeda e o câmbio, transformados em mercadoria, viraram objeto de especulação. Diante dessas dinâmicas, os mecanismos de regulação existentes, como o Bank of International Settlements, de Basileia, tinham poder meramente normativo.

No plano econômico e financeiro o mundo já era outro, mas uma mudança de tal profundidade não tinha sido acompanhada por nenhum avanço real com novas formas de governança global. Os mecanismos tradicionais de regulação se mostraram obviamente aquém da crise. A dúvida que se tem hoje é se algo substantivo mudou, se novos mecanismos foram criados e para que servem.

As mudanças começaram com a emergência do G-7, depois G-8, ou seja, os países ricos mais a Rússia, com a pretensão de agir como um diretório do mundo. Não funcionou, nem podia funcionar. Ampliaram para o G-20, com a inclusão de China, Índia, Brasil, África do Sul etc. Será que funciona?

Enquanto não houver uma estrutura que dê seguimento a suas decisões, o G-20 corre o risco de ser mais uma *photo opportunity*. É um mecanismo que tem peso na formação de políticas, mas não tem capacidade de implementação, na medida em que os Estados nacionais, a quem o G-20 se dirige, não têm controle sobre pessoas e grupos que agem na esfera global fora do controle de instâncias estatais.

Isso ficou claramente demonstrado pela imensa dificuldade de cada Estado e da comunidade internacional como um todo de lidar com os processos especulativos que alimentaram a crise econômica global. Esses processos, muitas vezes extremamente opacos e impermeáveis à compreensão pública, se espalharam em velocidade vertiginosa, sem que Estados e sociedades pudessem impedir seus excessos e desvarios.

Os mecanismos tradicionais baseados nos Estados nacionais não dão conta dos processos utilizados por atores não estatais. Ante essa evidência, surgiram tentativas de reorganização da ordem mundial, sobretudo no plano econômico, que, no entanto, até hoje ainda não vingaram.

Essa constatação não impede que se reconheça o papel que as Nações Unidas desempenharam.

A globalização avançou, mas a regulação política não. Os Estados nacionais não têm capacidade de controlar a especulação financeira.

Primeiro, sendo capazes de impedir ou, pelo menos, reduzir a guerra clássica, os conflitos entre Estados.

A grande maioria dos conflitos do pós-guerra se deu numa escala local ou, em certos casos, como no Oriente Médio, afetando vários países de uma mesma região. Não envolveram diretamente choques entre as grandes potências e não extrapolaram para conflitos generalizados. As Nações Unidas, através das missões de paz aprovadas pelo Conselho de Segurança, demonstraram também certa capacidade de solucionar conflitos e promover processos de negociação e reconciliação.

A ONU desempenhou também um papel muito importante e menos conhecido ao se constituir, sobretudo a partir dos 1970, em fórum para a inovação. Novos temas globais — como gênero, racismo, meio ambiente, população, cidades, os próprios direitos humanos — ganharam espaço na agenda internacional.

Nesse processo, a própria ONU se abriu, não sem forte resistência dos Estados, à participação de atores não estatais,

ONGs dos mais variados tipos, redes de mulheres, ecologistas, cientistas, empresários interessados nessas causas.

Reconheço, portanto, o papel da ONU na preservação da paz, na promoção do desenvolvimento, no debate de temas emergentes de interesse global, na luta contra as epidemias etc. Mas, a despeito desses avanços, que são expressivos, constato que o poder normativo da comunidade internacional sobre uma gama de fenômenos, que vai do crime organizado à especulação financeira, continua muito pequeno e a capacidade de implementação menor ainda.

A ONU evitou a guerra e se constituiu em fórum para o debate de temas sociais. Mas a ordem internacional não está preparada para lidar com novas ameaças globais.

Sem poder normativo real não há legitimidade para a implementação. E os países mais fortes — os Estados Unidos, a China ou outros países com poderio similar — podem se recusar a seguir ou simplesmente ignorar tendências ou deliberações apoiadas pela maioria.

O veto no Conselho de Segurança dá um poder discricionário aos cinco membros permanentes que foram os vencedores da Segunda Grande Guerra: Estados Unidos, Rússia, China, Inglaterra e França. Essa estrutura de poder, implantada faz mais de 60 anos, evidentemente não leva em conta as novas configurações de poder decorrentes do maior protagonismo, sobretudo no plano econômico, dos países do Sul.

Há uma clara defasagem entre a ordem internacional e a nova realidade global. O mundo pós-1945 era bipolar. Tanto no plano político, com a guerra fria entre o Ocidente e o comunismo, quanto no plano econômico, com o contraste de um Norte desenvolvido com um Sul subdesenvolvido. Essas oposições não fazem mais sentido hoje. O mundo é mais aberto e mais complexo.

A difusão em escala global dos processos produtivos e das formas capitalistas levou a uma interpenetração sem precedentes entre países, interligando economias e sociedades. São Paulo e Xangai, por exemplo, estão, sob muitos aspectos, mais integrados à ordem global do que cidades em crise, como Detroit e Nova Orleans. Já grandes partes do interior do Brasil nada têm a ver com isso. O Vale do Ribeira, para citar uma região do Estado de São Paulo, não vive nesse ritmo, não participa dessa dinâmica.

Essas assimetrias existem hoje em todos os países do mundo. Fluxos de ideias, informações, interesses que, de certa maneira, são cosmopolitas, interconectados em nível global, coexistem com regiões que não estão conectadas. As conexões entre os polos dinâmicos se fazem para além das fronteiras nacionais.

Certamente alguns países estão também mais conectados do que outros. Uns são mais ricos do que outros. Mas os diferentes recortes em termos de níveis de riqueza e conexão se reproduzem no interior de cada país.

As definições em bloco — ricos e pobres, Norte e Sul — não dão conta das mudanças. Faz sentido dizer que a China é um país do Sul? Geograficamente não, mas simbolicamente era, pelo seu passado. Mas será assim ainda hoje, quando disputa a hegemonia mundial com os Estados Unidos, que é Norte?

O mundo hoje é um caleidoscópio. As alianças entre países se fazem caso a caso, não, como antes, em bloco. Não há mais alinhamentos automáticos.

Há regiões do Brasil que fazem parte do Sul, mas o Brasil em seu conjunto faz parte do Sul? Qual é o nosso relacionamento com um país como a Guiné-Bissau? Muito menor do que o que temos com os Estados Unidos, com a China ou com a Alemanha.

O mundo se tornou polifacético. É um mundo caleidoscópico, em que as alianças entre países se dão cada vez mais em torno de *issues*, temas, questões. Isso se faz caso a caso, e não, como antes, em bloco. Não há mais alinhamento automático ditado por posições ideológicas ou pela posição de cada país numa determinada hierarquia de riqueza ou poder.

Há uma outra questão que deve ser pensada também. O que projetou os Estados Unidos a uma posição hegemônica depois da Segunda Guerra Mundial não foi somente o fato de ter sido o berço das transformações tecnológicas que levaram à revolução das comunicações. Foi a capacidade da sociedade americana de criar, inventar, inovar, não só na área tecnológica, mas também na esfera política e social.

A despeito de todas as suas diferenças, a sociedade americana tem uma extraordinária capacidade de conviver com o novo, absorvê-lo e se moldar a ele com uma flexibilidade maior do que outras sociedades. Os americanos estão demonstrando isso mais uma vez na resposta que estão dando à atual crise econômica.

Na hora do vamos ver, o governo quebrou todas as ortodoxias, inundou o mundo de dólares, mas atuou. Os balanços dos bancos americanos acabaram por se revelar mais transparentes do que os europeus. A Europa está sendo mais lenta no seu processo de digestão da crise.

Pergunto: a China terá essa capacidade adaptativa? Terá a criatividade que permitiu a expansão da Espanha e de Portugal no tempo do capitalismo comercial, a invenção pela Holanda dos mecanismos de bolsa de valores, o desenvolvimento pela Inglaterra do capitalismo comercial e da revolução industrial?

Esses mecanismos terminaram por gerar não apenas produções tecnológicas, mas também instituições. Será que a China inova? Seu traço marcante é uma imensa capacidade imitativa. Ela tem sido capaz, sim, de fazer engenharia reversa. Mas o que é propriamente chinês nessa projeção da China pelo mundo afora?

Nesse mundo que está aí, em que tudo parece possível e, ao mesmo tempo, incerto, em que não há estabilidade porque ninguém tem condições de impor sua vontade sobre os demais, em que os atores estão todos se movimentando num tabuleiro que se redefine a cada momento, pode ser que os Estados Unidos tenham condições de sair da crise abrindo uma nova brecha de criatividade *a la* Schumpeter e seguir em frente. Ou será que a China vai fazer isso? Não sabemos. Ninguém sabe.

> **Vivemos num mundo em que tudo parece possível. É também um mundo instável em que nenhum país tem condições de impor sua vontade aos demais.**

Penso que a decadência dos Estados Unidos é relativa. Assim como a supremacia da China também é relativa. Não estou dizendo que uma e outra não estão ocorrendo. Estão. Após o colapso da União Soviética os Estados Unidos poderiam imperar como senhores absolutos. Isso não aconteceu. Não tiveram condições para isso. Não foi uma questão de falta de capacidade. Não tiveram possibilidade até porque outros também estavam crescendo e ganhando espaço.

A China, por sua vez, surpreendeu a todos. Foi capaz de copiar com excepcional eficiência. Foi capaz também de manter o controle sobre sua imensa população. Começando pela própria demografia, controlando o crescimento demográfico. Nessa área demonstraram criatividade e capacidade de iniciativa.

Será que vai ocorrer na China algo semelhante ao que ocorreu no Brasil com as grandes transformações dos anos 1950 e 1960, com as migrações para as grandes cidades que desestabilizaram o governo, geraram o populismo e, em resposta a ele, o autoritarismo militar?

Não sei. As transformações são muito profundas, mas a capacidade de controle do Estado sobre a sociedade não tem diminuído. Por outro lado, o sentimento do que seja liberdade, do que seja cidadania, na China é diferente do mundo ocidental. É possível e mesmo provável que não ocorra a tão propalada transformação política da China no sentido de que suas instituições políticas se "ocidentalizem" ou que as reivindicações das massas recém-ingressas no mercado desorganizem o poder político.

Queiramos ou não, costumo dizer, copiando outros, que o Brasil é o Extremo Ocidente, mas é o Ocidente. É muito difícil para nós, ocidentais, pensarmos os outros, mas os outros existem e estão mostrando sua persistência. Falei do Japão, que persistiu, apesar de ter ingressado no mundo capitalista. A China está persistindo. A Índia, sobre a qual não entendo quase nada, é mais complicada ainda.

E a modernização no mundo islâmico, como se vai dar? Acabou a ilusão de que seria possível transportar as formas institucionais ocidentais para o resto do mundo. A ideia dos neoconservadores de fazer uma série de *regime changes* para impor a ordem democrática por toda a parte revelou-se uma ilusão.

Aqui e ali pode se fazer um simulacro de democracia, como no Iraque, mas a fragilidade é enorme, pois os fundamentos dessa sociedade, do ponto de vista social, cultural e religioso, não têm sido levados em conta. É absurdo imaginar a possibilidade de organizar um país com a complexidade do Iraque à moda americana.

No Afeganistão não se conseguiu praticamente nada. Nem no Paquistão. Para não falar dos países propriamente feudais

> **O Brasil é o Extremo Ocidente, mas é o Ocidente. É difícil para nós, ocidentais, pensarmos os outros. Mas os outros existem e afirmam cada vez mais sua presença.**

do mundo árabe. Em compensação, na Turquia e na Indonésia, países islâmicos, houve transformações no sentido de formas de convivência mais democráticas. A Malásia também avançou rumo a uma modernização.

Mas não se trata mais daquele antigo modelo de modernização elaborado pela sociologia dos anos 1940, 1950, 1960, entendida como um processo linear, homogêneo, que viria como consequência do desenvolvimento capitalista. As coisas não se passam dessa maneira.

A modernização avança por todas as partes impulsionada, em boa medida, pelo processo de desenvolvimento capitalista. Mas em cada lugar ela se molda a um contexto cultural, a um conjunto de crenças religiosas e a práticas tradicionais arraigadas. A modernização não leva à homogeneização.

Portanto, a ideia de que caminhávamos rumo a um só mundo, homogêneo, sob o controle de uma superpotência desapareceu. Isso vale para todos: a China, a Europa, o mundo islâmico, a África e para nós.

A questão que está colocada a todos é como será possível criar instituições que regulem certos aspectos da vida, na esfera econômica, por exemplo, e, questão ainda mais complexa, como combinar o reconhecimento de valores que vão se universalizando, como os direitos humanos, com a aceitação da diversidade cultural.

Essa questão se complica ainda mais quando crenças religiosas — so-

> **A questão hoje é combinar o reconhecimento de valores universais, como os direitos humanos, com a aceitação da diversidade cultural.**

bretudo das três grandes religiões monoteístas: cristianismo, islamismo e judaísmo — incidem sobre processos de modernização ou influenciam reações à modernização. Ao venerar um só Deus, que é o verdadeiro, cada uma dessas religiões relega os que cultuam outros deuses à condição de infiéis.

A dificuldade maior para a modernização no mundo islâmico é a superposição entre as ordens civil, estatal, política e religiosa. Isso também dificulta a aceitação pelo mundo não fundamentalista de determinadas regras que justificam ou impõem práticas que ferem direitos universais, como os direitos das mulheres, igualdade de gênero, liberdade de orientação sexual. Esses são problemas extremamente complexos que não vão ser resolvidos do dia para a noite.

Tenho a convicção de que, ao longo do século XXI, vamos progressivamente criar instituições capazes de lidar com os grandes fenômenos econômicos que podem afetar, de repente, o conjunto do planeta. Vamos eventualmente avançar na criação de mecanismos que freiem as guerras abertas, mesmo quando praticadas por redes não estatais, como é o caso dos atentados terroristas. É mais do que tempo, usando uma expressão religiosa, de dar eficácia na ordem internacional ao mandamento "não matarás".

Vamos ter também que ser muito criativos para lidar com a questão dos direitos universais sem desrespeitar a diversidade cultural, que é um elemento constitutivo da humanidade do mesmo modo que a natureza se nutre de biodiversidade.

O mundo é cada vez mais multifacético, definido por um crescente entrechoque de ideias. Nada me leva a crer que esse entrechoque vá decrescer no futuro próximo.

Vivemos hoje uma difícil relação entre uma ordem política e, sobretudo, uma ordem econômica de natureza global e a existência de valores culturais que são diversificados. Recoloca-se, portanto, a questão clássica de uma dialética entre o particular e o universal.

Estamos longe de um pensamento hegeliano, segundo o qual a moral vem do Estado e a ordem imposta pelo Estado tende crescentemente a se expandir. Estamos também longe do ideal kantiano de que seria possível o estabelecimento de uma paz universal assegurada pela legitimidade de regras universais.

Mas não estamos longe de desdobramentos ligados a distintas correntes de origem filosófica que levam ao reconhecimento da necessidade de algum tipo de articulação entre o universal e o particular, ou, melhor dizendo, do reconhecimento e da aceitação da heterogeneidade, da diversidade cultural, mas também do reconhecimento e da preservação de valores universais, como os direitos humanos.

É importante deixar claro que, no mundo de hoje, existem setores importantes que não aceitam esse reconhecimento da diversidade. Não estou me referindo apenas ao fundamentalismo no mundo islâmico. O criacionismo, que nos últimos anos irrompeu com força nos Estados Unidos, é o exemplo de uma visão de mundo que não aceita outras visões, na medida em que está profundamente enraizada em crenças religiosas. Portanto, representa uma outra forma de fundamentalismo.

Há um consenso crescente em torno de alguns pontos fundamentais. Já me referi a alguns deles: importância de se evitar uma conflagração global, necessidade de certa regulação dos mercados financeiros para coibir seus excessos e desvarios.

A crise econômica global de 2008 e 2009 deixou claro que o sistema capitalista é mais cíclico do que se pensava e que, portanto, a previsibilidade através do planejamento, da antecipação de medidas, é muito difícil. A forma pela qual o sistema capitalista funciona poderia ser resumida com o slogan da bandeira da cidade de São Paulo: *Non ducor, duco*, "Eu conduzo, não sou conduzido". Na verdade, não são os homens que conduzem o sistema, é o sistema quem conduz, embora os homens sejam os atores.

A moral hoje não vem do Estado nem é possível estabelecer uma paz universal. O desafio é construir uma nova articulação entre o universal e o particular.

Marx e outros mais já tinham dito isso. Assistimos uma vez mais no plano global a esse fenômeno, pelo qual, de repente, o processo de acumulação como que se autonomiza da racionalidade humana e passa a ter uma razão em si mesmo: mais, mais e mais, até estourar.

Ainda que, do ponto de vista da racionalidade humana, haja quem diga "Cuidado, isso é um bolha e essa bolha vai estourar", esse alerta não faz com que os apostadores se refreiem. Não faz porque a incerteza é inerente ao sistema capitalista, o que o leva, em certos momentos, a se transformar num quase cassino.

Quando essa dinâmica se instala, cada um olha em volta, vê o ganho do outro e, para ser competitivo, faz como ele, e enquanto as apostas estiverem dando certo ninguém vai querer ficar de fora. Enquanto o ganho predominar sobre qualquer outra consideração que refreie esse impulso de acumulação, é praticamente impossível impedir que mais e mais gente siga pelo mesmo caminho. É o chamado "efeito manada". Até estourar, como aconteceu.

A expectativa de que a globalização reduziria o poder dos Estados nacionais não se concretizou. Por outro lado, há uma reorganização em curso do poder em escala mundial. Mas esse fenômeno é complexo. É preciso, por exemplo, olhar com cuidado para o tão decantado declínio dos Estados Unidos.

A mesma coisa vale para a Europa. A Alemanha, por exemplo, demonstrou uma capacidade surpreendente de recuperação pós-crise. O governo atuou para conter o gasto público, impôs limites à expansão descontrolada do sistema financeiro, investiu na inovação tecnológica e na exportação. Não dá, portanto, para pensar que só a China é capaz de lidar com a crise.

No capítulo das surpresas que o mundo tem nos reservado, talvez a mais extraordinária tenha sido o vento de liberdade que está soprando no mundo árabe. O mundo realmente é surpreendente. As chamadas revoluções do jasmim, na Tunísia, e do Nilo, no Egito, mostram que, mesmo em regiões aparentemente estagnadas por um capitalismo autoritário de fundo estatal ou tribal, a mudança é possível graças inclusive às novas tecnologias de comunicação, que permitiram que o sentimento de revolta se espraiasse rapidamente sem ser percebido pelos governos ou, mesmo quando percebido, sem que os governos dispusessem de meios para contê-lo.

Contrariando todas as previsões, o efeito de contágio espalhou por todo o mundo árabe o vírus da liberdade, o anseio dos jovens por uma vida melhor. Como disse Manuel Castells, as revoluções de hoje estão sendo turbinadas pelas tecnologias de amanhã.

Para mim foi uma surpresa saber que o que está acontecendo no mundo islâmico tinha precedentes no mundo eslavo, mais particularmente na Sérvia. Uma nova geração de ativistas, formados na luta contra a ditadura de Slobodan Milosevic e altamente competentes no uso das novas tecnologias, parece ter desempenhado importante papel na insurreição que varre o mundo árabe.

A globalização não acaba com o poder dos Estados. A reorganização do poder em escala mundial é um processo complexo.

A partir de eventos inesperados e de alto valor simbólico, como o sacrifício do jovem tunisiano que se imolou na rua em protesto contra a corrupção do governo, esses novos ativistas lançaram mão de todos os recursos disponíveis para conectar e informar pessoas, dos torpedos aos celulares, do Twitter ao Facebook, desenvolvendo novas formas de ação política para além dos partidos tradicionais e dos próprios movimentos religiosos.

Informação e conexão permitem a sociedades aparentemente estagnadas dar um salto para a contemporaneidade. Lá, onde menos se esperava, as ditaduras implodem por curto circuito. Eu havia observado esse fenômeno na França de maio de 1968, em que uma contestação de fundo cultural havia se espalhado por contágio para o conjunto da sociedade.

O poder político representado por De Gaulle vacilou, mas não caiu. Graças a um acordo tácito com o Partido Comunista, totalmente avesso à contestação libertária, os conservadores pareciam ter sido capazes de restabelecer a ordem. Na verdade, a contestação — se não mudou a estrutura de poder político — mudou culturalmente a sociedade.

Informação e conexão permitem a sociedades estagnadas dar um salto para a contemporaneidade. O anseio dos jovens árabes é por liberdade.

Quando se produz um curto-circuito, a sociedade como um todo pode pegar fogo. Se o incêndio vai destruir as estruturas políticas fundamentais, depende da capacidade dos movimentos de contestação de produzir alternativas viáveis. Mas, havendo ou não mudança política, a mudança cultural é irreversível. A febre pode baixar e a vida voltar ao normal, mas a sociedade vai ser outra.

Outro ponto importante é que o motor da revolta no mundo árabe parece não ser um anseio de democracia no sentido ocidental, e sim uma reivindicação de liberdade, de respeito à vontade do indivíduo. Se o Ocidente pensa que os regimes autoritários do Norte da África e Oriente Médio vão se transformar, do dia para a noite, em democracias representativas, com base nas teorias de Montesquieu sobre a separação de poderes, o risco de decepção é forte.

Dificilmente vai acontecer isso. Mas o cenário que vai emergir vai ser muito diferente do despotismo irrigado pelo petróleo e mantido pela força bruta das polícias secretas e dos exércitos.

As transformações em curso nos países árabes talvez tenham alguma ligação com a crise econômica global de 2008, mas essa influência, se existe, é remota. A mobilização dos jovens tem muito mais a ver com a difusão, através dos meios de comunicação, de ideias, de referências culturais. Usando propositalmente uma palavra antiga, diria que a demanda é de modernização.

Nesse contexto, a velha divisão política entre esquerda e direita não faz mais nenhum sentido. O objetivo da esquerda, no passado, era basicamente mudar a forma de produção e impor o controle coletivo dos meios de produção. O instrumento para essa transformação por ruptura era o partido revolucionário.

Segundo a visão leninista, cabia ao partido assumir o poder em nome de uma classe, o proletariado, os trabalhadores, legitimado pelo objetivo de acabar com a dominação de classe, o que, por sua vez, eliminaria a própria necessidade de partidos. Deu no que sabemos: a ossificação da União Soviética.

A partir desse momento em que a União Soviética se desmancha, o capitalismo passa a ser a única forma de produção no horizonte histórico. Com todos os países do mundo, com as exceções de Cuba e da Coreia do Norte, caminhando na batida do sistema capitalista, o que sobra para a esquerda clássica?

A crise da esquerda clássica não elimina, no entanto, a existência de outras formas de ação, que poderiam ser chamadas de progressistas. Quais? Não mais as velhas propostas de coletivização. Talvez o capitalismo chinês, com um controle ainda importante da economia pelo Estado, possa adaptar-se aos novos tempos, pois a ingerência estatal parece estar decrescendo no dia a dia da sociedade chinesa.

Diante da demanda generalizada por modernização, como fica a esquerda tradicional? Há caminhos para uma esquerda contemporânea?

Mas seria esse o caminho para a nova esquerda? Não creio. Penso que o que está acontecendo hoje no mundo islâmico ou o que acontece em várias partes da América Latina põe em xeque tanto a velha concepção de esquerda, estatal e autoritária, quanto aquela mais recente, associada à descolonização. Nesse modelo, o ator central era o Estado nacional, controlador dos setores de produção estratégicos.

Essa visão sobre o papel de vanguarda das revoluções no chamado Terceiro Mundo incendiou o coração das esquerdas dos países ocidentais, compensando a desilusão perante o socialismo real com o apego ao socialismo, entre aspas, das novas nações asiáticas e africanas.

Hoje, essas formas variadas de nacional-populismo têm mais um jeito de regressão autoritária do que de promessa de futuro para uma esquerda contemporânea. Creio que os caminhos para uma esquerda contemporânea apontam muito mais para novos temas, como o reconhecimento dos direitos humanos como valor universal, a valorização da opinião de cada um, não como manifestação isolada, mas articulada e conectada, base de uma opinião pública que se exprime em novos espaços públicos.

O que se discute cada vez mais hoje são temas negligenciados pelos Estados nacionais e que se referem aos riscos e às incertezas da ordem internacional: assimetrias de poder nas relações econômicas, proliferação nuclear, terrorismo, ameaças ao meio ambiente, bioepidemias etc. Ganham também centralidade questões como a igualdade entre os sexos, o papel da mulher, a diversidade de orientação sexual.

Em suma, a atenção hoje se dirige para a construção de mecanismos de liberdade e de responsabilidade. É essencial preservar tudo aquilo que é fundamental para a sobrevivência dos ecossistemas e a qualidade da vida humana sobre a Terra: o ar, a água, as florestas, os oceanos. Assim como continua sendo fundamental reduzir a pobreza e aumentar a igualdade globalmente.

A salvaguarda desses "bens públicos globais" está na base dos movimentos ecológicos e de responsabilidade social. Esses movimentos não partem mais da velha ideia socialista do controle da produção, nem da ideia mais recente, mas não menos regressiva, de um socialismo estatal, nacional e popular.

Esses temas redefinem a relação entre o local, o nacional e o global. São evidências da fragilidade de um mundo interdependente sem mecanismos de regulação adequados.

Não é possível pensar em soluções para questões como aquecimento global, controle de pandemias, pobreza extrema e proliferação nuclear sem novas formas de solidariedade e colaboração transnacional. Nenhum desses problemas respeita fronteiras nacionais nem pode ser resolvido na esfera de um único Estado. Implicam não só uma visão planetária, mas também uma visão de futuro.

Noções de liberdade e responsabilidade colocam no centro da agenda a preservação de bens públicos globais — ar, água, florestas, oceanos — essenciais à vida na Terra.

A esquerda contemporânea está, portanto, obrigada a sair de sua visão do passado, encastelada na questão das classes ou do Estado nacional, para olhar para o ser humano, para a humanidade como sujeito. Ao mesmo tempo, cabe à esquerda olhar para o pobre, os excluídos, os que não têm condições mínimas de uma vida com dignidade.

Creio que, inspirados por uma visão de liberdade e responsabilidade, esses novos temas globais possam se constituir na argamassa de uma esquerda realmente contemporânea, em contraposição não só à esquerda do passado, mas também aos que, no mundo de hoje, não compartilham dos valores da solidariedade para com as pessoas e da sustentabilidade da vida no planeta.

Brasil e América Latina: além da esquerda e da direita

O debate sobre o significado dos termos esquerda e direita no mundo de hoje e, em particular, o desafio da reconstrução de uma visão de esquerda, desembaraçada do passado e em sintonia com o mundo contemporâneo, afetam a América Latina e, evidentemente também, o próprio Brasil.

Aqui, como em outras partes do mundo, a emergência de novas formas de progressismo coexiste com formas entranhadas de conservadorismo. O problema da América Latina é o peso da esquerda antiga, nacional-populista. Governos como o de Chávez na Venezuela ou de Daniel Ortega na Nicarágua podem ser rotulados de esquerda, mas, a meu ver, nada têm a ver com uma visão progressista e contemporânea do mundo.

Esses regimes exprimem uma regressão autoritária que contrasta com as mudanças profundas que transformaram o perfil das sociedades latino-americanas ao longo dos últimos vinte anos. A propósito, cabe também questionar o que sobra hoje da velha ideologia de uma América Latina homogênea.

A região como um todo passou inegavelmente por um processo de desenvolvimento econômico intenso, embora desigual. Os avanços foram notáveis no Brasil, em termos de indústria, serviços etc. O México deu um salto por sua relação especial com os Estados Unidos e também sofreu as consequências da crise que afetou os Estados Unidos.

O peso de uma cultura corporativa e burocrática é grande no México. No Brasil a sociedade se fortaleceu e tem capacidade de resistir a investidas regressivas.

Mas, ao olhar para o México, constata-se que as mudanças na estrutura do Estado foram menos profundas do que as ocorridas no Brasil. Para não falar do caso do Chile, que seguiu um modelo próximo do que se poderia chamar de neoliberalismo. Isso não ocorreu nem aqui nem no México.

No Brasil houve um equilíbrio entre forças de mercado e cultura estatizante. No México o peso de uma cultura corporativa e burocrática ainda se faz sentir com muita intensidade. Temos sinais disso no Brasil e já alertei de que há correntes fortemente regressivas no PT. Mas nossa grande diferença em relação ao México é que, no Brasil, a sociedade civil e o mundo empresarial avançaram muito.

Creio que a sociedade brasileira já é suficientemente aberta e forte para fazer frente a investidas regressivas. Pode acontecer uma volta atrás, mas não é provável.

Já o Chile é o país da América Latina que se filia mais nitidamente à corrente liberal, embora tenha a tradição de um Estado eficiente. Hoje os chilenos estão com problemas sérios na área de educação. Veja-se a onda de manifestações de rua com jovens exigindo do governo uma educação de melhor qualidade e mais igualitária. O mesmo se dá na área de previdência. Justamente porque talvez tenham ido longe demais na visão da prevalência pura e simples dos interesses do mercado.

Outro país que passou por um processo significativo de mudanças foi a Colômbia. A sociedade também tem dado provas de uma extraordinária capacidade de resistência. A elite governante preservou a democracia, a despeito da imensa pressão imposta pela guerrilha e pelo narcotráfico. Para fazer frente à violência, o Estado colombiano foi obrigado a fortalecer sua armadura institucional. Mas o país preservou a democracia e tem feito prova de um dinamismo econômico muito grande.

O Peru sempre atraiu minha atenção na América do Sul. A exemplo da Bolívia, é um país em que a presença indígena na população é marcante e a expressão indígena no jogo do poder quase nula. Quando assisti à posse do presidente Alejandro Toledo no Congresso, sua cara indígena era marcante, mas ele era praticamente o único com tal semblante e a cabeça do Toledo — antigo aluno de Stanford e funcionário de organismos financeiros internacionais — não era a expressão da cultura *chola*.

Chile, Colômbia, Peru e Uruguai avançaram. Já a Argentina ficou na situação de um país irresoluto dentro do movimento geral de transformação da região.

Meu receio é que a classe dirigente peruana, ao não olhar para as diferenças sociais e culturais, abra caminho para uma regressão chavista. Esse risco, que parecia superado com o avanço econômico dos últimos anos, reapareceu na eleição de 2011, com a vitória de Ollanta Humala.

Outro país interessante é o Uruguai. Como o Chile, é uma economia relativamente pequena, com um Estado bem-organizado. A esquerda revolucionária chegou ao poder com a eleição do presidente José Mujica, um ex-guerrilheiro que entende o mundo contemporâneo. Com respeito pela democracia, aceitação até certo ponto das regras de mercado e compromisso com o social, o Uruguai encontrou um nicho de prosperidade que lhe está permitindo avançar.

Já a Argentina continua a ser uma interrogação. Faz tempo, aliás, que é uma interrogação. A Argentina perdeu o bonde na economia, por assim dizer. O Brasil, a partir da estabilização do real, atraiu muitos capitais estrangeiros, não descuidou do interesse nacional. Houve regulação pelo Estado das áreas privatizadas e a presença do investimento tanto estatal quanto privado nacional levou a um equilíbrio entre esses setores.

Além do mais, houve aumento da competição entre os agentes produtivos, evitando que a concentração acelerada de tudo que era investimento terminasse por prejudicar o interesse dos consumidores. E graças à atração maciça de investimentos, a base tecnológica da produção brasileira aumentou consideravelmente.

A Argentina tinha condições aparentemente superiores às nossas, pelo nível de sua educação, padrão cultural, renda etc., para atrair capitais e avançar em áreas produtivas novas, mais contemporâneas. No entanto ela se equivocou, penso eu, ao tentar competir com o Brasil em um terreno que não lhe é favorável, o da produção industrial, via aumento de tarifas, entraves ao avanço do Mercosul [Mercado Comum do Sul] etc.

Ou seja, em vez de dar um salto para a frente, abrindo-se às novas tecnologias — e tinham todas as condições para isso —, os argentinos preferiram tentar reproduzir o movimento de crescimento industrial que o Brasil havia feito no passado.

Todos, em maior ou menor medida, fomos salvos pelo crescimento assombroso da China, com sua imensa demanda por produtos agrícolas e minerais. A Argentina ficou, então, na situação de um país irresoluto nesse movimento geral de transformação da América Latina.

E há também o pilar da regressão na América do Sul que é o chavismo. A situação na Venezuela é diferente da Bolívia, sobre a qual vou falar adiante. É possível compreender a emergência de um fenômeno como Chávez em função do descaso das elites, a exemplo do Peru, em resolver os problemas da população e criar uma base produtiva mais ampla. Mas nada justifica o caminho rumo ao autoritarismo e à desorganização da democracia.

A Venezuela está pagando agora um preço alto pela falta de dinamismo da economia. A popularidade do Chávez está caindo e a ressonância que ele chegou a ter dá a impressão de que está minguando perante o que está acontecendo no Brasil, na Colômbia, no México, no Uruguai, para não falar no Chile.

Penso que a Bolívia é outra coisa. A situação da Bolívia era similar à do Peru e, em certa medida, do Equador: uma população indígena expressiva e marginalizada, ou seja, uma cultura diferente. Nesses países, o problema fundamental não é o de mercado e Estado. É mais do que isso, é uma questão de identidade cultural. A Bolívia tinha esse problema e a ascensão do Evo Morales expressa essa realidade.

Sempre achei que Lula podia ter exercido, sobretudo no começo, uma influência positiva sobre Evo Morales, capaz de contrabalançar a influência chavista. Em vez de deixar a Bolívia expropriar a Petrobras, ação carregada de símbolos do passado, poderíamos ter influenciado os bolivianos no sentido de uma negociação com o Brasil para o desenvolvimento da indústria petroquímica, a exemplo do que fizemos com o Paraguai, para compartir a energia de Itaipu. A Bolívia optou pela expropriação e pelo aumento do preço do gás. Isso deu uma folga ao Morales.

A Venezuela é o pilar da regressão na América do Sul. A situação da Bolívia é diferente. Morales responde à demanda por identidade cultural da população indígena.

Visto de fora, dá a impressão de que na Bolívia há um maior sentido de legitimidade cultural, mas não se vê o dinamismo que possa surgir daí. Poderá surgir, mas é improvável. A nova constituição da Bolívia foi muito longe no reconhecimento da diferença e da pluralidade cultural indígena, a ponto quase de dissolver a visão de uma nação homogênea, republicana, em um magma de pequenas identidades culturais dispersas no território.

É o velho problema da tensão entre o particular e o universal. A Bolívia parece ter optado por uma valorização do particularismo em detrimento de uma visão atual da democracia, da República, dos direitos da cidadania, aceitando a lógica da tradição. A identidade cultural impediria a aceitação de regras gerais criadas em outras culturas, as ocidentais.

Até onde vai isso? Também se trata de uma situação irresoluta. A Bolívia está num compasso de espera, enquanto que a Venezuela representa uma regressão desnecessária sem perspectiva de retomada.

O Equador, por sua vez, parece que se assustou com o que viu à sua volta. Não conheço pessoalmente o presidente Rafael Correa, mas conheço o Equador, que tem mais viabilidade como país do que a Bolívia. Tem uma economia exportadora forte, tem petróleo. Todavia, possui também um contraste marcante entre a costa e o altiplano. Penso que a situação do Equador é diferente tanto daquela prevalecente na Bolívia quanto na Venezuela e tem contornos ainda bastante indefinidos.

Os países da América Central encontraram nichos de mercado. Seu principal problema é a deterioração da sociedade causada pelo tráfico de drogas.

E temos a América Central e o Caribe. A situação dessa região é outra, na medida em que os Estados Unidos tiveram a habilidade de abrir nichos de mercado. A República Dominicana desenvolveu bastante sua vocação de turismo. A Costa Rica, que sempre havia sido uma exceção democrática no campo político, abriu muito sua economia ao exterior, recebeu investimentos nas novas tecnologias. Beneficiou-se também da situação de "paraíso fiscal", a exemplo do Panamá.

A principal ameaça aos países da América Central e de alguns outros do Caribe deriva de outro tipo de problema: o tráfico de drogas, as gangues, que levam, pelo viés da violência e da corrupção, à deterioração da sociedade e do Estado.

Esse fenômeno é um subproduto da deterioração da sociedade americana, na medida em que esses países são pontos de passagem do tráfico de drogas. O crime organizado se fortaleceu nesse ambiente de violência e corrupção. Esse quadro se agravou durante as ditaduras, com os Estados virando bandidos (*rogue states*).

A Nicarágua é uma situação à parte, porque se filiou à linha chavista e já tinha uma tradição de autoritarismo e corrupção vinda do sandinismo, como mostra o excelente livro *Adiós muchachos*, de Sergio Ramírez.

Cuba exerce uma influência decrescente, mas ainda grande, sobre esses países. Cuba hoje é um país parado na história, parado no tempo. Raúl Castro está tentando adotar algumas medidas liberalizadoras, modernizadoras, da economia, mas com enorme dificuldade. É difícil prever o futuro de Cuba. Eles perderam muito tempo em fazer um *aggiornamento*, nem mesmo *a la* chinesa.

Toda a América Latina continua a ter uma espécie de preito de gratidão a Cuba como símbolo de resistência aos americanos, ao imperialismo. Cuba representa algo relevante para todos nós, mas isso pertence à história. O mundo mudou.

Se olharmos a América Latina de hoje, vemos que Norte e Sul são conceitos antigos. Essa oposição supunha um mun-do homogêneo de ricos e um outro de pobres. Não é mais assim. As múltiplas redes que interligam economias e sociedades geram uma interpenetração crescente que quebra a antiga visão.

Não é que inexistam mais diferenças, mas elas se configuram de outro modo. A dinâmica é outra e Cuba ficou fora dessa nova dinâmica. Pode-se dizer que Cuba ficou presa simbolicamente à noção de um "Sul" como símbolo de oposição a tudo que está acontecendo no "Norte".

É interessante comparar Cuba com a África do Sul. A África do Sul entendeu que está vivendo e faz parte de um outro momento do mundo. Deu um salto, enquanto Cuba continua presa ao passado.

Cuba foi um símbolo de resistência na América Latina, mas isso hoje pertence à história. O mundo mudou e Cuba ficou parada no tempo.

Brasil, México, Colômbia, Chile e Peru vão ser os países com influência cada vez maior na América Latina. O Uruguai não vai ter influência maior na região, mas vai prosperar como país respeitável. Nosso grande problema é a Argentina, na medida em que ela é um parceiro indispensável para o Brasil. O que dá a possibilidade de um espaço político, econômico e social mais estável para ambos é a ligação do Brasil com a Argentina.

Esse relacionamento evoluiu bem durante certo tempo, depois entrou numa zona de dificuldades. Quando Lula foi eleito, houve quem pensasse "agora haverá um caudilho também no Brasil". Isso não aconteceu. Embora o personalismo de Lula possa ter um efeito dissolvente sobre as instituições, a sociedade brasileira revelou-se mais forte e resistente a uma deriva autoritária. Não há espaço no Brasil para um neoperonismo.

O peronismo é um fenômeno muito particular. Todos ou quase todos na Argentina se dizem peronistas. O peronismo teve significado no passado. Hoje não significa mais nada. A pergunta que mais me intriga é por que não surgiu algo novo na Argentina.

Acho que isso tem a ver com a dinâmica das elites argentinas, que sempre foram mais desenraizadas do que as elites dos outros países e não conseguiram ser a expressão de alguma coisa que possa ligar — volto ao que já disse — o local ao universal. A antiga elite agrária sempre esteve mais voltada para fora do que para dentro, a elite industrial está vendendo o que tem. O próprio fato de a classe média argentina ser numericamente expressiva, educada, culta, habituada à prosperidade, acaba atrapalhando.

O Brasil não tinha alternativa. Ou criava uma coisa nova e forte ou não tinha prosperidade. Mesmo passando por momentos de crise profunda, a Argentina mantém a prosperidade. Mas isso paradoxalmente não tem sido um fator de renovação da sociedade. Na Argentina, o peso do passado parece ser maior do que o desafio do futuro.

No Brasil, o ímpeto para se ter uma visão de futuro é muito maior. Aqui ou se tem visão de futuro ou não se segura este país.

São mais de 200 milhões de pessoas. Por mais que a classe média tenha crescido — e esse conceito é relativo, pois o que houve foi melhoria de renda de camadas antes empobrecidas, e não o surgimento de uma nova classe —, falta ainda uma educação de qualidade, redes sociais de apoio etc. para a consolidação, do ponto de vista sociológico, de uma classe verdadeira.

A Argentina já tem isso. O padrão educacional da Argentina é de alta qualidade. Lá existe uma classe média de verdade. Mas isso não se traduziu num processo de fortalecimento das instituições republicanas.

Na Argentina, o peso do passado tem sido maior que o desafio do futuro. No Brasil, sem uma visão de futuro não se segura um país de 200 milhões.

A classe média teve medo da revolução e depois ficou assustada com a violência da ditadura. Os governos democráticos foram frágeis. A Argentina continua sendo um ponto de interrogação, e isso é vital para o Brasil. Um sólido eixo entre Brasil e Argentina é vital para toda a região.

Fora daí existe a possibilidade de um eixo com o México, que é distante e diferente da Argentina do ponto de vista cultural. A Argentina, como o Brasil, é um país de imigrantes. O México também tem um contingente importante de imigrantes, mas com um componente indígena muito mais forte. O México possui uma outra realidade político-cultural.

A Argentina é mais próxima a nós. Claro que aqui houve escravidão, lá não. Essas diferenças são importantes, mas isso em boa parte já foi absorvido pela história contemporânea. A sociedade brasileira se modernizou bastante. É evidente que o relacionamento com o México é muito importante para o Brasil, do ponto de vista de nossos interesses de longo prazo.

Mas a natureza da nossa relação com a Argentina vai ser sempre diferente. São Paulo está a duas horas de Buenos Aires e a nove horas da Cidade do México. O que acontece em Buenos Aires ecoa logo aqui. O que acontece no México demora mais para ecoar.

Esses são os países fundamentais para o equilíbrio da região, aos quais acrescento a Colômbia e o Chile. Mas o Chile não é propriamente um modelo para a América Latina. O Chile é uma economia pequena, uma sociedade mais organizada, que caminhou muito no sentido do liberalismo. Nos outros países não temos essa tradição liberal forte.

Não há mais, como no passado, um projeto que unifique a América Latina em oposição ao "Norte".

No Brasil, ainda hoje, basta colocar em qualquer coisa o adjetivo "social" que o pessoal aplaude. Coloca "liberal" o pessoal vaia. Isso é um problema, pois precisamos combinar o liberal com o social. Na Argentina, como aqui, liberal quer dizer de direita. No Chile não é assim.

É assim que vejo a América Latina de hoje. Muito menos como no passado, quando prevalecia a ideia de um projeto unificador — "vamos juntos fazer uma grande transformação, porque nós somos o Sul e eles são o Norte" —, e muito mais como um processo de transformações graduais, marcado pela diversidade, na direção da afirmação de sociedades de democracias ampliadas e de economias de mercado.

E vamos falar claro: mesmo se a Argentina não entrar nesse eixo, o Brasil vai em frente sozinho. Isso seria certamente pior para a região. Não acho que seja positivo para a região ter um Brasil hegemônico. Tampouco para o próprio Brasil. Pode parecer esquisito dizer isso, mas é verdade, pois uma posição por demais dominante pode gerar uma reação em sentido contrário.

O Brasil nunca assumiu um papel ostensivamente hegemônico. Predominância, sim, mas hegemonia, não. Hegemonia implica opressão, econômica, cultural. Já a predominância é algo que decorre da própria posição do país em termos de espaço, população e riqueza.

Um problema que persiste na América Latina é o que diz respeito ao indivíduo, aos direitos da pessoa, o que remete ao tema da segurança.

O continente entrou nesse tema nos anos 1970 pela pior via, a da guerra fria, segurança entendida como segurança nacional, segurança do Estado. O desafio que temos hoje é a segurança das pessoas. É o crime, a droga, a violência da polícia, todos temas que a esquerda tinha dificuldade de manejar.

Hoje a América Latina está confrontada com um conjunto de novos temas: segurança das pessoas, sua defesa contra a violência do Estado e da própria sociedade, proteção do meio ambiente, a questão das cidades, em uma palavra o tema é a qualidade de vida.

Antes os temas que nos preocupavam eram outros: subdesenvolvimento, pobreza, miséria, emprego. Claro que esses temas continuam presentes, mas novas questões ganham espaço na medida em que a prosperidade não resolve o problema da poluição, o congestionamento das cidades, a segurança das pessoas, o mau funcionamento da justiça etc.

Essa nova pauta, que se soma à antiga, é mais contemporânea. Surgem as lutas pelos direitos difusos, confusos e múltiplos. São direitos ligados à identidade de indivíduos e grupos, por vezes minoritários, mas atuantes. Eles estão no ar, embora ainda não tenham expressão política.

Isso se dá por duas razões· pela tradição autoritária, estatista e, portanto, antiliberal da esquerda e pela tradição elitista do próprio liberalismo, que não se preocupava com o social e, no plano econômico, não queria o Estado. Ou seja, a nova sociedade coloca questões que nossa tradição política tem dificuldade de absorver.

Voltando ao México, com a crise econômica e a tragédia do narcotráfico, ele, por assim dizer, se relatino-americanizou.

Houve um momento em que o México, graças à integração de sua economia à americana, se imaginou fora da América Latina. Hoje, com a violência e a corrupção geradas pelo narcotráfico, está de novo imerso no universo do realismo fantástico.

Aí entra também a questão cultural. Darcy Ribeiro dizia, com razão, que o México, com sua massa populacional e tradição cultural, não seria digerido facilmente pelos Estados Unidos. Na verdade, o México tem mais profundidade histórica do que os Estados Unidos.

A América Latina está confrontada com novos temas ligados à defesa de direitos difusos e confusos. Essa nova pauta não tem expressão política, pela tradição autoritária da esquerda e elitista da direita.

Nós nunca tivemos no Brasil algo similar ao peso da profundidade hispânica que o México teve e que se vê ainda hoje em Guadalajara, na praça do Zócalo da Cidade do México. Como obviamente nunca tivemos tradições como se veem nas regiões de cultura indígena asteca ou maia e em Oaxaca.

O Brasil tem em escala menor essa tradição cultural vinda dos séculos XVII e XVIII. As cidades geradas pela mineração produziram cultura. Produziram os inconfidentes, o barroco e a poesia. Não só em Minas. Também no Rio, em Goiás, em Cuiabá. Mas nossa tradição histórica não se compara com a do México.

E há ainda o fenômeno da projeção do México dentro dos Estados Unidos. Hoje pode-se dizer que há uma América Latina, uma América hispânica, dentro dos Estados Unidos, com cada vez maior força e influência, inclusive política. O espanhol é a segunda língua do país e essa cultura latino-americana está influenciando o modo de ser da sociedade americana.

É curioso notar que a presença hispânica é mais forte justamente nos estados com maior dinamismo econômico. Não só a Califórnia, mas Arizona, Novo México, o próprio Texas. A nova fronteira da expansão econômica americana é a hispânica. Junto com a expansão econômica vem a influência cultural. Ou seja, não estamos falando de uma penetração cultural dos Estados Unidos na América Latina, e sim de uma influência crescente da cultura latino-americana nos Estados Unidos.

Embora haja um número grande de brasileiros nos Estados Unidos, o Brasil é uma exceção dentro da América Latina na medida em que temos um lado que não é ibérico. Temos a presença cultural forte do negro, da imigração alemã, italiana, árabe, japonesa etc.

Nesse sentido o Brasil, sociologicamente, sempre será mais parecido com os Estados Unidos do que com a América Latina. Do ponto de vista do espaço geográfico, da mobilidade social, do dinamismo, do fato de que somos grandes e não vemos o outro que está distante.

E somos, claro, pluriétnicos. Com a diferença em relação aos Estados Unidos de que aqui predomina a mistura, e não a segregação. Isso é muito importante. No Brasil pode haver preconceito, pode haver discriminação, mas tem mistura.

A mistura cultural é mais forte do que a mistura sanguínea no Brasil. Não há uma cultura branca e uma cultura negra como há nos Estados Unidos. Aqui a cultura é a mesma. Como disse Vinicius de Moraes: "Sou o branco mais negro do Brasil."

A cultura não é branca nem negra, é brasileira. Misturou mais do que o sangue.

O Brasil não tem a profundidade histórica do México, mas é uma sociedade pluriétnica. Ao contrário dos Estados Unidos, aqui predomina a mistura, não a segregação.

O sangue já se misturou muito, mas na cultura a mistura é ainda mais forte. Nesse sentido, pode-se dizer que somos um exemplo para o mundo.

No Brasil, o fato de uma pessoa ser de origem italiana, árabe, alemã ou japonesa não conta para seu projeto de vida. A influência portuguesa no Brasil não tem a força da influência inglesa ou irlandesa nos Estados Unidos. Aqui as culturas se amalgamaram mais. Não estou dizendo que não haja preconceito, que sejamos uma bela democracia racial. Não somos. Mas o amálgama brasileiro é uma realidade.

O amálgama brasileiro é uma realidade. A cultura brasileira faz e fará diferença. Isso dá ao Brasil certa excepcionalidade. Não somos superiores aos outros países, somos diferentes.

Isso faz com que sejamos sempre uma exceção na América Latina. O México, na medida em que preservar sua identidade étnica e cultural, será também uma exceção, como a Bolívia certamente é, e o Equador e o Peru até certo ponto.

Tenho a convicção de que a cultura brasileira faz e fará uma diferença. Se você projetar no tempo, talvez se fale daqui a alguns séculos em uma raça como há na Índia, uma raça brasileira. A variação de cor é grande e existe uma ausência de preocupação com a questão da identidade racial. Faz pouco, nos Estados Unidos, me perguntaram qual a minha cor. Respondi: no Brasil sou branco, aqui não sei.

Isso ajuda a dar ao Brasil certa excepcionalidade. O que é positivo se não vier à moda americana, achando que, por causa disso, somos superiores. Não somos superiores, somos diferentes. Acho que não há esse sentimento de superioridade aqui e espero que não venha a haver.

É nesse sentido que digo que somos contemporâneos. Somos multiculturais, como o mundo como um todo está se tornando. Ou seja, de repente o Brasil deu um salto e, sem perceber, passou do atraso para a contemporaneidade mais do que para a modernidade.

Crise da política e reinvenção da democracia

O sistema político está em crise por toda parte. A distância entre política e sociedade, o hiato entre as preocupações das pessoas e o que parece interessar aos partidos e aos políticos, é algo que, de diferentes maneiras, está presente em praticamente todos os países.

Essa crescente desconexão entre sistema político e sociedade, entre o sistema de partidos e a vida real, está na raiz da crise que afeta a democracia representativa. Essa crise de natureza política se entrelaça, por sua vez, com a crise econômica global.

Talvez quando daqui a vinte ou trinta anos olharmos para trás, se dirá: olha, a crise global surgiu em 2007, se configurou plenamente em 2008 e 2009, em 2010 parecia que tínhamos nos livrado dela, em 2011 ela voltou com força.

A Europa não sabe o que fazer com seus bancos, a crise da dívida se alastra de país em país, o desemprego aumenta, os Estados Unidos inundam o mundo de dólares, persiste o desemprego, risco de calote na dívida americana, ameaça de recessão etc.

A China deve reduzir

A crescente desconexão entre sistema político e sociedade está na raiz da crise que afeta a democracia representativa. A isso se soma o impacto da crise econômica global.

seu crescimento, mas é graças à China que o mundo continua avançando e os BRICs se saem melhor do que os outros...

Tudo isso aponta um problema extremamente sério e não resolvido. Com a globalização, o sistema financeiro foi potencializado, a internet e o conjunto de sistemas eletrônicos de conexão imediata aboliram as diferenças entre tempo e espaço, gerando um mundo muito diferente, rápido e volátil, com uma enorme circulação virtual de recursos. A regulação não acompanhou o desenvolvimento das forças produtivas e tudo mais que aconteceu, sobretudo no sistema financeiro.

Isso criou essa imensa incerteza em que está mergulhado o mundo hoje e gerou outro fenômeno, que tem a ver com o que estamos descrevendo, que é uma crise de hegemonia.

Houve um declínio relativo de países que exerciam papel hegemônico. A União Soviética acabou, os Estados Unidos, que pareciam ser potência única, não o foram. Ao mesmo tempo, outros países passaram a ter presença econômica mais forte e maior influência. Produziram-se grandes deslocamentos de capitais e de tecnologias, criaram-se novos polos de crescimento.

Como comentei em capítulo anterior, o mundo caminha na direção de se tornar multipolar. Não se sabe muito bem como se dará esse processo. Se for por intermédio de uma dualidade de poder entre China e Estados Unidos apenas, será perigoso. A Europa não se afirmaria. Os emergentes não teriam força suficiente para que sua voz fosse ouvida. Em uma palavra, não haveria regulação global, senão que predominariam as imposições dos Dois Grandes.

Esse problema é velho como a Sé de Braga. É kantiano. Enquanto não houver um direito universal não vai haver legitimidade do poder. Não havendo legitimidade do poder é difícil que a força possa ser empregada de maneira aceitável. Emprega-se a força — como no caso da Líbia — mas sem uma base sólida de legitimidade. No Iraque menos ainda. No Afeganistão, de forma muito duvidosa. E por aí vai.

Houve, de fato, um esgotamento da capacidade do único país que tem superioridade bélica em escala global, que são os Estados Unidos, de exercê-la. Por duas razões: a profundidade da crise fiscal do Estado americano e também porque o poderio militar tradicional se tornou menos potente diante da técnica suicida do terrorismo.

Isso tudo está minando a confiança dos povos na ordem internacional. O que vai acontecer? Para onde estamos indo? Quem manda? Como é que o sistema mundial se reorganiza? O G-20 tem feito um esforço grande para pôr alguma ordem no que está desregulado. Certamente a passagem para o G-20 foi um avanço expressivo em relação ao G-7 e ao G-8, claramente restritivos e ultrapassados.

Mas o G-20 não representa uma ordem realmente legítima. Não tem sequer

Não há confiança na ordem internacional. Não há regulação. A ausência de alternativas em matéria econômica frustra a expectativa das pessoas de mudança.

um secretariado ou algo que lhe dê capacidade de fazer cumprir suas decisões. Não sei se um dia terá.

A ordem internacional sempre foi o espaço em que a força definia as relações de poder. Há quem queira fazer com que não prevaleça apenas a força. O Tribunal Penal Internacional, para punir crimes contra a humanidade independentemente das soberanias nacionais, foi um passo nessa direção, mas há muitos países que não aceitam a novidade. Será que um dia chegaremos a outro patamar, em que haja reconhecimento universal dos direitos humanos e alguma instância de poder com capacidade de assegurar, com legitimidade, o respeito a regras aceitas por todos?

Destaquei esse aspecto para enfatizar que não estamos assistindo apenas a uma crise de sistemas políticos nacionais; é a própria ordem global que está sendo questionada em sua legitimidade.

Parece também não haver alternativas às políticas econômicas que vêm sendo seguidas pela grande maioria dos países. O fato de que todos sigam a mesma orientação básica em matéria econômica, independentemente do governo ou partido que esteja no poder, põe em dúvida a possibilidade de alternativas reais. Se os governos eleitos em oposiçao à política prevalecente acabam fazendo basicamente o que o governo derrotado estava fazendo, passa a sensação de que não há utopia possível em matéria de política econômica. Veja-se o que está acontecendo com a administração Obama ou com os socialistas europeus.

Isso frustra a expectativa de mudança das pessoas. Há um sentimento generalizado de insatisfação, como se os sistemas políticos, quaisquer que sejam, não fossem mais capazes de atender às demandas da sociedade na direção de mudanças mais profundas. Tampouco esses sistemas demonstram capacidade para lidar com os problemas globais, como meio ambiente, que são discutidos mas não resolvidos.

Um sistema político nacional que aparece como distante, divorciado da sociedade, incapaz de responder às demandas das pessoas, carece de legitimidade. Esse déficit o faz vulnerável a ataques autoritários e demagógicos. Esse é o grande risco que corremos.

No Brasil tivemos muita sorte porque o Lula, que poderia ter encarnado algo *a la* Chávez, não foi por esse caminho. Ou melhor, a sociedade impediu ou dificultou que ele fosse por esse caminho. Não foi possível. Mas o risco continua a existir. Em outras conjunturas a alternativa autoritária ainda pode vir a ser um perigo.

O Congresso está esvaziado como ator político. Transformou-se num despachante que recebe algo pelo que despacha. Isso o torna vulnerável a ataques autoritários e demagógicos.

Por exemplo, se num dado momento um presidente popular bate o pé, ele ganha do Congresso. O Chávez impôs sua vontade ao Congresso. É verdade que, em determinado momento, a própria oposição abandonou o Congresso.

Aqui não houve nada semelhante, mas ocorre o esvaziamento do Congresso como ator político. De alguma maneira o Congresso se transformou num despachante que recebe algo do butim do Estado pelo que despacha. Perdeu força política. Parece que a sociedade se orienta apenas pelo Executivo. Isso pode efetivamente gerar situações embaraçosas

Mas existe também uma contratendência, um movimento em sentido inverso. O nível de informação da população aumentou muito. Não só a mídia tradicional, mas também as novas mídias, as redes sociais, estão crescendo de maneira avassaladora como espaço de debate e, por vezes, de participação.

Esse declínio do sistema político será irreversível?

> **As novas formas de comunicação provocam mudanças. As ideias se disseminam por contágio. Mas precisam se traduzir em construção de instituições, de regras.**

Será que essas novas mídias, as redes sociais, as múltiplas formas de conexão de cada um com todos, sem intermediários, essas formas de protestar sem sair de casa, via computadores, blogs e SMS, será que essas novas formas de comunicação podem provocar mudanças?

Creio que sim. Já mencionei a mobilização dos jovens que derrubou o governo Aznar na Espanha. A internet ajudou Obama a ganhar a eleição nos Estados Unidos. Foi instrumental, agora, na Tunísia e no Egito, para a derrubada dos ditadores. O acúmulo de frustrações pode, de repente, se irradiar por contágio, como ocorreu em maio de 1968 na França.

Mas e depois? O que segue? Será que as formas de mobilização mais espontâneas são capazes de constituir instituições? Essa é a interrogação que nós temos. O mundo organizado, a sociedade, precisa de regras. Não dá para funcionar apenas através dos mecanismos de sua própria contestação, através de ideias que irrompem, se disseminam por contágio e são contra a ordem estabelecida.

Esse processo existe e muito provavelmente vai existir cada vez com mais intensidade. Mas se esses processos não criam alternativas de participação organizada e de legitimidade, a mudança profunda, duradoura, não se concretiza. Movimento, mobilização, é uma coisa, construção de instituições, de regras, é outra.

É verdade que isso tudo significa que para reconquistar legitimidade é preciso que haja participação no processo decisório.

Essa participação pode ser fragmentada, desorganizada, mas precisa desembocar, de um jeito ou de outro, em algo mais organizado, de tal maneira que a regra, ao ser imposta, tenha passado por momentos de discussão mais ampla, não apenas institucional, que envolva a sociedade, que tenha um ingrediente de emoção, de aceitação com emoção da decisão que vai ser tomada, e não somente uma submissão passiva à decisão porque a instituição ainda tem peso e capacidade de coerção.

Esse é um desafio aberto e não resolvido. Há quem pense que a internet está transformando o mundo numa grande cidade grega, um novo Ágora, em que todos vão participar das decisões. Participar, sim, mas e depois, como é que se implementa? Quem decide e como se toma a decisão quando as opiniões em debate nas redes são divergentes, como ocorre com frequência na medida em que a sociedade é aberta e diversificada?

Essa interconexão entre instituição e movimento e entre a participação das pessoas como tal e as organizações, partidos e movimentos sociais não assumiu ainda uma forma clara que aponte para onde estamos indo.

Muita gente diz que no mundo de hoje a noção de "coletivo" está desaparecendo. Será verdade? As pessoas que participam individualmente das redes sociais, dando suas opiniões, não estão reavivando a antiga ideia liberal de que é o indivíduo que conta. No caso atual, trata-se de pessoas que estão em relação com outras pessoas. Não estão apenas reivindicando seus interesses individuais, pois frequentemente tomam em consideração o "outro" com o qual se ligam e do qual — ou dos quais — recebe respostas, reações.

Esse fenômeno não está ainda perfeitamente entendido. Estamos diante de um novo individualismo ou de uma nova forma de "ser coletivo"? Esse "coletivo" não pode existir sem que cada um decida também, o que implica passar pelo momento da pessoa, do indivíduo: eu aceito, não aceito, posso reconhecer que a opinião da maioria ganhou, mas eu tenho a minha opinião e quero que ela pese. A decisão não deve ficar restrita ao Congresso, mas sim tomar corpo na sociedade também.

Creio que esse é um tema que está em plena ebulição e não sei em que direção iremos avançar. Virá mais um pesadelo, ou seja, essa sociedade múltipla, com distintos canais de interação, vai criar uma situação de tal descontrole que, de repente, uma ditadura se imponha para botar ordem na casa? Não creio. Acho melhor continuarmos sonhando com a possibilidade de encontrar algum mecanismo de convivência entre ordem institucional e participação espontânea maciça.

É verdade que tudo isso aponta para tempos de incerteza. Não sabemos como irão evoluir as coisas. As pessoas têm medo da incerteza. Daí a sedução e o risco de fórmulas mais impositivas.

Há cada vez mais debate nas redes sociais. Mas como se dá a tomada de decisões? A interação entre ordem institucional e participação instantânea levanta novas questões para as quais ainda não temos resposta.

A imposição dá certeza. Nao aceito, mas me conformo. Não creio que se vá por aí. O mundo que está sendo desenhado não é um mundo de conformados. É um mundo de gente que quer ter opinião.

Estamos vendo agora, por causa do Wikileaks, o que aconteceu na Inglaterra, onde a invasão da privacidade e a quebra de ética pelos tabloides do Rupert Murdoch geraram um mal-estar generalizado.

Na virada do século XIX para o século XX falava-se de um *malaise*, um sentimento de mal-estar. Os poetas falavam de *spleen*, angústia, sei lá. O mal-estar atual não exprime a angústia de um indivíduo isolado que se interroga sobre si e sobre o mundo. É o contrário disso. Hoje ninguém quer estar isolado.

É um mal-estar, por assim dizer, com a vontade de estar. E de bem-estar. Não é um mal-estar no qual a pessoa se entrega subjetivamente à sua angústia.

A história é feita de utopias. Não dá para ter tanta injustiça. Não há muro que segure as migrações ou as doenças. As porteiras estão abertas. Não adianta querer fechar as fronteiras.

Não há resolução dos problemas de cada um por si. A resolução passa por cada um, mas volta a alguma forma de anuência coletiva.

Será uma utopia? Talvez, mas, como já disse, sem as utopias é difícil sobreviver. A história é feita de utopias. Como quase todas as regras estão balançando, na economia, na ordem internacional, na sociedade, na política, como elas estão mais trêmulas, emergem sentimentos novos, visões variadas.

É muito difícil, quase impossível, prever onde vai dar tudo isso. Vai acabar dando em alguma coisa. E há o outro lado. Com tudo que se falou mal da globalização, com seus efeitos negativos, o enorme poderio do sistema financeiro, os riscos de contágio da crise pela interligação dos mercados, o fato é que a pobreza, no mundo, diminuiu. Há uma forte mobilização para resolver problemas na área de saúde. Há uma consciência crescente de que a ecologia não se baseia em conversas de "ecochatos".

Todos estão vendo que a questão nuclear pode ser perigosa. O recurso à guerra, longe de resolver qualquer problema, afunda os países. É o caso dos Estados Unidos, atolado no Iraque e no Afeganistão. A China, que não tem o mesmo poderio bélico nem tem que gastar tanto com armamentos, está prosperando. Existe, portanto, algo positivo no horizonte. Não acho que tenhamos diante de nós um cenário semelhante ao que ocorreu depois da crise econômica de 1929 e que desembocou no nazifascismo e, por consequência, na Segunda Guerra Mundial. O cenário hoje é bem diferente. A diversidade de opiniões e a multiplicação da informação não estão nos levando para um estado de desespero.

Há ações organizadas e pressões desorganizadas na direção de dizer: "Olha, não dá para ter tanta injustiça." O mundo não pode mais resolver os problemas que o angustiam só pensando nos países ricos. Até porque não há muro ou fortaleza que segure as migrações ou as doenças. As porteiras estão abertas. Não adianta querer fechar as fronteiras.

Essa dinâmica aponta na direção de pensar em um mundo só, em um conceito de humanidade. Estamos voltando a Hegel, à preocupação de Kant com um direito único, universal.

Marx dizia: "A humanidade não pode existir enquanto não houver igualdade." E, acrescentava, só uma classe, a classe proletária, os trabalhadores, por sua condição específica, pode generalizar sua condição para a sociedade. Nesse dia haverá a humanidade, haverá liberdade e não haverá Estado.

Utopia. Não foi nem será assim. Mas a ideia de humanidade voltou. Não porque os pensadores quisessem. Voltou porque os problemas se tornaram globais.

Se os problemas são globais, não dá para pensar as grandes questões em função de um povo particular. Temos que pensar no conjunto dos povos, na humanidade. Devem existir regras que regulem a convivência global. Isso não vai fazer desaparecer os Estados nem o sentimento nacional, a preocupação de cada um com o seu país.

O Brasil tem interesses específicos que têm que ser levados em conta. O Estado vai continuar existindo. Todos os Estados têm os seus egoísmos, têm necessariamente que cuidar de si, dos interesses específicos de seu povo. Mas o mundo não vai poder estar baseado apenas no egoísmo dos Estados.

A ideia de humanidade voltou. Os problemas são globais. Cada Estado vai ter que abdicar de parte de sua soberania. Mas não por imposição de um soberano mais forte, e sim em nome de interesses comuns globais.

Quando se descobre que a humanidade está historicamente constituída, pelo bem ou pelo mal, temos que pensar no conjunto, no todo, e, ao pensar no conjunto, cada Estado terá que abdicar de parte de sua soberania. Mas ninguém vai abdicar de partes da soberania nacional pela imposição de um soberano mais forte, como até agora ocorria. Daqui para a frente não deve ser mais assim. Cada país tem que abdicar de partes de seu poder soberano em função de um consenso que leve em conta interesses globais comuns.

Acho que a nova utopia parte de bases que são a multiplicidade da informação, a conexão entre muitas pessoas, sem intermediários, a possibilidade de saltar fronteiras, queiram ou não queiram os seus guardadores, a necessidade de saltá-las para impedir que as epidemias se espalhem, a necessidade de saltá-las para poder lidar com a ameaça atômica, com a ameaça ecológica.

Temos boas razões, portanto, para continuar pensando no futuro. Acho também que é por aí o caminho para a continuidade do que, no passado, constituía uma tradição de "esquerda", um pensamento generoso baseado na ideia de justiça. A ideia de justiça requer a lei, mas requer também o cuidado da pessoa. Não é uma justiça impessoal. É uma justiça social, expressão de uma preocupação com as pessoas. Requer, portanto, não só liberdade, mas também um certo grau de igualdade, sem o qual não há justiça.

Se é possível desconsiderar hoje os fatores objetivos que, no passado, seriam considerados indispensáveis para garantir a igualdade, ou seja, o controle coletivo dos meios de produção — e hoje ninguém mais pensa nisso —, não se pode deixar de imaginar o controle coletivo dos meios de distribuição de bens e direitos como saúde, riqueza, justiça, acesso às regras necessárias à convivência com um mundo cheio de ameaças.

Nesse sentido continuará a haver um pensamento progressista e é prova de atraso julgar esse pensamento progressista do presente e do futuro à luz do que foi o pensamento progressista no passado. Infelizmente a esquerda convencional — e a maioria da esquerda é convencional — se considera de esquerda porque tem uma visão fechada, contra a globalização, apoia um nacionalismo extremado, quer que o Estado controle tudo. Isso é atraso, não é esquerda.

A ideia de justiça requer a lei, mas também o cuidado da pessoa. Não só liberdade, mas também certo grau de igualdade. Ser de esquerda é ter a capacidade de olhar para a frente, captar o emergente, pensar o futuro.

Ser de esquerda é justamente ter a capacidade de olhar para a frente, rever criticamente a história, captar o emergente, pensar o futuro. Essa é a tarefa intelectual que nos espera. Esse é o desafio para quem quiser ser ao mesmo tempo progressista e contemporâneo.

Os novos temas globais

A transmissão da Presidência para Lula foi um evento extremamente emotivo. Eu tinha consciência de que estava vivendo um momento histórico. Terminada a cerimônia, fui com Ruth para o aeroporto de Brasília, voamos para São Paulo e, na mesma noite, seguimos para Paris.

Eu precisava absolutamente descansar e descomprimir. Ficamos vários meses na França sem segurança alguma. Andávamos de metrô como pessoas normais. Passeávamos por livrarias, íamos ao cinema, enfim, pequenas coisas que não tínhamos tido condição de fazer durante oito anos.

Depois fomos para os Estados Unidos. Eu passava longas horas na biblioteca do Congresso, em Washington, lendo e escrevendo o livro *A arte da política*. Andávamos de metrô. A Embaixada do Brasil nos oferecia um carro e eu recusava. Queria levar uma vida normal. Só quando era assunto oficial da Embaixada eu aceitava o carro.

Assumi uma posição como *professor-at-large* na Universidade de Brown. Fui convidado para a Universidade de Harvard, mas recusei. Preferi ficar em Brown, universidade com menos alunos, mas alto prestígio acadêmico. Tinha mais liberdade. Podia na verdade fazer o que quisesse. Acabei dando aula magna, seminários, atendendo alunos de graduações, o que eu adorava fazer e não fazia há tempo.

Ao deixar a Presidência, precisava de tempo para descansar e descomprimir. Em Paris andamos de metrô como pessoas normais, passeamos por livrarias, pequenas coisas que não fazíamos há anos.

O primeiro convite importante que recebi foi do secretário-geral da ONU, Kofi Annan. Ele me convidou para chefiar um

Painel de Personalidades Eminentes com o mandato de propor um novo balizamento para as relações entre a ONU e as organizações da sociedade civil

ONU e sociedade civil

Esse trabalho voltado para a reforma da ONU foi o primeiro de uma série de envolvimentos com o que chamaria "novos temas globais". Um grande tema permeava todos os outros: a construção das bases de uma governança global mais democrática.

As grandes causas pelas quais vale a pena lutar no mundo de hoje não se limitam aos temas clássicos da preservação da paz e da segurança internacional. Questões como combate à fome, terrorismo, epidemias e aquecimento global são desafios para toda a humanidade. A elas veio se juntar, imposta pela crise econômica, a exigência de uma regulação mais eficiente dos mercados financeiros.

Essa nova agenda se compõe de problemas que não são suscetíveis de serem enfrentados apenas por governos. Requerem um envolvimento crescente de atores não estatais. Na verdade, esse crescente protagonismo de atores não governamentais já está acontecendo, é um processo em marcha há pelo menos duas décadas.

Em torno a cada uma dessas causas juntam-se diferentes personagens pouco habituados a interagir: organizações e redes de cidadãos, empresários e inovadores sociais, pesquisadores e cientistas, artistas e criadores de cultura. As próprias cidades, lideradas por Barcelona, vêm desempenhando um papel crescente na cena internacional.

O mandato do Painel era ajudar a ONU, organização criada e integrada por Estados, a entender a emergência desses novos atores e relacionar-se com eles de forma construtiva, e não

defensiva, como era o caso até então. Zelosos de sua legitimi
dade — ainda que nem sempre saída das urnas —, os Estados
nacionais perguntavam-se de onde vinha a legitimidade de
organizações que não tinham sido eleitas e, em certa medida,
não tinham que prestar contas a ninguém, salvo a seus próprios membros.

O problema era, de fato, complexo. Estávamos em 2003. A
reação unilateral e belicosa do governo Bush aos atentados de
11 de setembro de 2001 colocara o combate ao terrorismo no
centro da agenda internacional, relegando à margem questões
ligadas ao desenvolvimento humano e social.

A invasão do Iraque, em flagrante desrespeito ao Conselho
de Segurança, debilitara todo o esforço de construção de uma
ordem internacional baseada no direito. Governos e ONGs, que
haviam colaborado na discussão de temas sociais ao longo dos
anos 1990, agora trocavam recriminações.

Nesse clima internacional de maior tensão e desconfiança,
os governos reagiam contra o que percebiam como uma intro-
missão crescente de atores não estatais em seus espaços de
decisão. As ONGs, que haviam conquistado o direito de falar,
sentiam que suas mensagens, quando ouvidas, não eram leva-
das em conta.

Em resposta ao desa-
fio do secretário-geral de
sermos, ao mesmo tem-
po, "audaciosos e prag-
máticos", conduzi um
amplo processo de con-
sulta visando à definição

**As grandes causas pelas quais vale
a pena lutar no mundo de hoje vão
além da preservação da paz internacional. Questões como terrorismo,
epidemias, aquecimento global são
desafios para toda a humanidade.**

de formas mais flexíveis e eficazes para uma maior abertura da
ONU às contribuições da sociedade civil.

O relatório que apresentei em 2004 começava por reconhecer a diversidade e relevância dos atores não estatais. Em

temas como direitos humanos, meio ambiente e igualdade de gênero, são esses atores que fazem a agenda e dão o tom das discussões. Legitimaram-se pelo que fazem. Tornaram-se incontornáveis.

Argumentamos que essa crescente participação dos cidadãos no debate dos temas globais não deveria ser vista como uma ameaça aos governos, e sim como oportunidade de um enriquecimento da ONU, adaptando-a aos novos tempos. Na verdade, detectamos a emergência no cenário internacional de processos que vieram a ganhar mais força nos anos seguintes, como a ampliação dos espaços para a participação e deliberação dos cidadãos.

Percebemos também que no mundo de hoje os cidadãos têm múltiplos interesses e identidades superpostas. Podem ser trabalhadores ou "burgueses"; mas, de igual ou maior importância para cada um, dependendo de seu sexo, idade, orientação sexual e fé religiosa, são seus valores, estilos de vida, padrões de consumo e perspectivas de futuro.

Observamos que por toda parte se enfraquecia a participação em partidos e sindicatos e se fortalecia o envolvimento de cidadãos com movimentos e organizações que promovem causas e interesses. Constatamos também como um fato que esses cidadãos, mais bem-informados, hoje se comunicam diretamente com as autoridades, protestam na rua ou exprimem sua opinião em jornais e websites, sem pedir autorização a ninguém.

Tudo isso configura a emergência de um novo paradigma, que chamei de um novo multilateralismo. O poder de decidir continua com os Estados, mas o poder de dar visibilidade a novos temas, testar abordagens inovadoras, mobilizar recursos e assegurar a implementação do que foi decidido está hoje aberto a uma multiplicidade de atores. Caberia então à ONU desempenhar um papel catalisador na articulação desses múltiplos atores, de modo a aproveitar as competências e os recursos que eles aportam para o entendimento e a solução dos problemas globais.

Como era de se esperar, nosso relatório, intitulado *Nós os povos: sociedade civil, ONU e governança global,* foi mais bem-recebido pelas ONGs do que pelos governos. O secretário-geral submeteu à Assembleia Geral nossas propostas de ampliação da participação dos atores não estatais nos diferentes órgãos da ONU.

Alguma coisa do que propusemos foi aceito, como formas de acesso e credenciamento mais ágil para as ONGs, fortalecimento da colaboração com os atores não governamentais em nível nacional, maior interação da ONU com parlamentares e autoridades locais.

Agências do sistema das Nações Unidas ligadas a temas sociais, como PNUD [Programa das Nações Unidas para o Desenvolvimento], Organização Mundial da Saúde, Alto Comissariado para os Direitos Humanos e, sobretudo, a recém-criada Organização das Nações Unidas para a Aids (Unaids) — onde pessoas vivendo com HIV/Aids participavam da tomada de decisões — implantaram mecanismos inovadores de colaboração e trabalho em parceria. Recomendações mais ousadas que requeriam aprovação dos governos não prosperaram.

O poder de decidir continua com os Estados nacionais, mas o poder de dar visibilidade a novos temas e testar abordagens inovadoras está aberto a uma multiplicidade de atores.

Tenho a convicção de que apontamos caminhos para uma real abertura da ONU ao mundo do século XXI. Como gosto de dizer, buscamos captar o novo e ampliar o campo do possível. Esse processo de transformação do velho pela emergência do novo é sempre um *work in progress.*

Terrorismo

Em 2004 assumi a presidência do recém-criado Clube de Madri, organização independente que reúne 55 ex-chefes de Estado comprometidos com a democracia, a justiça social e o desenvolvimento sustentável. Diante da ameaça do terrorismo e do risco de uma deriva autoritária que levasse as sociedades abertas a negar seus próprios valores de liberdade e tolerância, liderei o processo de convocação de uma Cúpula Internacional sobre Democracia, Terrorismo e Segurança.

Não por acaso essa Cúpula se realizou em 11 de março de 2005 em Madri, cidade em que, um ano antes, dez bombas haviam explodido em quatro trens, matando 190 pessoas e ferindo mais de duas mil. Participaram do debate mais de mil dirigentes políticos, juristas, especialistas da área de segurança e líderes da sociedade civil.

Em meu discurso de abertura afirmei que o terrorismo representa um novo tipo de ameaça global à paz e à segurança de todos os Estados. A utilização indiscriminada da violência contra a população civil como meio de intimidação política fomenta o medo e a divisão entre povos, religiões e culturas. Esse risco pode assumir proporções catastróficas no caso de um ataque nuclear ou com armas químicas e bacteriológicas.

O risco era real e iminente, no entanto as condições para uma resposta conjunta da comunidade internacional haviam se fragmentado depois da invasão do Iraque pelos Estados Unidos, em conflito com a ONU e ao arrepio do direito.

O terrorismo é um problema de extrema complexidade, para o qual não há soluções fáceis. Respostas violentas podem agravar o problema, em vez de resolvê-lo. Ações unilaterais enfraquecem a ordem internacional e geram ainda maior insegurança.

Em contraponto à perspectiva de uma solução exclusivamente militar, sintetizada na palavra de ordem de "guerra ao terror", argumentamos que o terrorismo representa um ataque frontal à democracia como espaço de convivência e solução pacífica de conflitos, mas só pode ser vencido de modo duradouro com os recursos e os valores da própria democracia.

Como, entretanto, ser eficaz no combate ao terrorismo e manter vivos os sentimentos e as práticas democráticas? Em Madri, perante os riscos do unilateralismo da política do presidente Bush, reiteramos que a democracia não pode ser fortalecida no âmbito nacional e enfraquecida no internacional.

Reafirmamos que o terrorismo é um crime contra a humanidade ao golpear vidas inocentes e semear um clima de ódio e medo. Rejeitamos como inaceitável o uso da violência contra civis a serviço de qualquer causa. Reiteramos que qualquer Estado tem o direito e o dever de proteger seus cidadãos, mas que, em última análise, apenas a liberdade e a democracia podem derrotar o terrorismo.

Cabe aos cidadãos, portanto, não apenas aos Estados, promover e defender a democracia. A melhor resposta ao terrorismo é o fortalecimento da democracia dentro de cada país e a construção de uma governança democrática no plano internacional que não hesite em combatê-lo nem, ao combatê-lo, se envolva em práticas quase tão abjetas quanto as utilizadas por ele.

A democracia, hoje,

O terrorismo é um novo tipo de ameaça à paz e à democracia. Mas respostas autoritárias levam sociedades abertas a negar seus próprios valores de liberdade e tolerância.

não se impõe de baixo para cima nem de fora para dentro. Não é tampouco apenas o voto; é a argumentação e o debate. As decisões e regras devem refletir a variedade de pertencimentos e de valores. Quanto mais participativo e transparente o processo, mais legítima a decisão. O terrorismo é o antípoda de tudo isso: ele vive do segredo e da supressão da liberdade.

155

A resposta global ao terrorismo tem de se pautar pelo respeito aos direitos humanos e aos princípios da ordem internacional. Só quando se fortalecem os liames democráticos no plano internacional é possível gerar a confiança entre os povos e os governos. Sem essa confiança, o entrosamento dos serviços de inteligência antiterrorista e a troca de informações, indispensáveis para antecipar os ataques e combater as redes terroristas com eficácia, tornam-se muito difíceis, se não impossíveis.

Para paralisar o uso pelos terroristas dos meios globalizados que dão eficácia a suas ações, como a internet, o sistema bancário, o tráfico de armas e de drogas, é preciso constituir redes globais de defesa da democracia. Essas só se efetivarão quando se esboroar a desconfiança no campo democrático de que uns querem ser mais donos do mundo e das virtudes do que outros. Só uma autêntica cooperação multinacional capaz de envolver os povos, além dos governos, permitirá aumentar a eficácia da luta contra o terror.

A reunião de Madri foi uma grande oportunidade para um diálogo crítico com a administração americana sobre os riscos do unilateralismo para a paz e a segurança do mundo. Como é possível proclamar a promoção da liberdade e da democracia como meta

A melhor resposta ao terrorismo é o fortalecimento da democracia em cada país e de uma governança democrática no plano internacional.

e, ao mesmo tempo, adotar políticas que enfraqueçem a ONU, mecanismo fundamental de que dispomos para uma governança global democrática?

Por isso, o preâmbulo da Declaração de Madri sobre Terrorismo, Segurança e Democracia proclamava que o melhor tributo que poderíamos prestar às vítimas do terrorismo em Madri e em outras partes do mundo seria o delineamento de um plano de ação que envolva todos os governos e povos do mundo na luta contra o terrorismo dentro dos princípios da democracia. Foi o que fizemos, inspirados nos valores da esperança na paz, na democracia e na liberdade.

Globalização econômica e regulação política

Chefiei também uma Comissão Internacional de Revitalização da Cnuced [Conferência das Nações Unidas para Comércio e Desenvolvimento] que, nos anos 1960 e 1970, havia desempenhado um papel pioneiro no debate de questões ligadas à economia e ao comércio internacional. Nos anos 1980 e 1990 esse órgão havia perdido força diante da onda favorável à desregulação dos mercados.

Os progressos da globalização econômica, de fato, não foram acompanhados por um avanço similar nos mecanismos de regulação dos mercados. É bom lembrar que se a revolução tecnológica foi o motor da globalização, o capital financeiro foi o motor do processo de criação de riqueza. Uma prosperidade aparentemente sem limites foi potencializada pelas novas tecnologias, que permitiram a criação de produtos financeiros cada vez mais complexos e opacos.

A forma pela qual se deu essa expansão, na ausência de um mínimo de regulação e transparência, está na raiz da crise de 2008. A crise, em si, não é um fato novo nem surpreendente. Crises são uma constante na história do capitalismo.

Sempre que a expansão do capital financeiro vai além de certo limite, há uma ruptura. De repente, devedores não conseguem mais pagar, o que deflagra uma reação em cadeia que afeta todo o sistema.

No coração da crise atual está, como no passado, a desconexão entre ativos financeiros e reais. O que é específico e amplifica a velocidade e abrangência da crise atual é a magnitude dessa desconexão e o nível de interconexão da economia global.

A crise pôs abaixo o mito de que os mercados eram capazes de se autocorrigir. Do dia para a noite, o medo substituiu a ganância. A crise de liquidez se transformou em crise de confiança. O colapso do crédito paralisou a economia real. O seu impacto é desastroso na medida em que o coração do capitalismo não é a fábrica. É o banco. Sem o banco, a fábrica para. Ainda hoje, ninguém sabe qual a verdadeira extensão da contaminação de bancos e empresas com ativos tóxicos.

A crise gerou uma brutal perda de valor na riqueza mundial. E a hemorragia continua. Os programas governamentais de salvamento de empresas à beira do colapso representam um imenso processo de socialização de perdas. No auge da tormenta, a prioridade foi impedir que a recessão se transformasse em depressão. O que fazer com as cinzas se veria depois que o incêndio tivesse sido controlado.

Mas as perspectives são sombrias. Esta não é uma crise que vai se resolver em meses e depois tudo voltará ao normal. É uma crise profunda cuja solução implicará uma reorganização drástica de prioridades. O futuro como sempre dependerá da ação dos atores. Ou seja, daquilo que governos e empresários, mas também cidadãos e sociedades, venham a fazer.

Neste momento continua a haver uma espécie de braço de ferro tanto nos Estados Unidos como na Europa. No fundo a questão é a de saber quem vai pagar o custo da socialização das perdas, que já ocorreu.

Crises são uma constante na história do capitalismo. O coração do capitalismo não é a fábrica. É o banco. Sem o banco, a fábrica para. Daí a reação em cadeia que afetou todo o sistema.

No Congresso americano a discussão foi sobre se o preço da crise — que arruinou o Tesouro para salvar bancos e reativar a economia — seria pago também pelos mais ricos, através do aumento dos impostos, ou pelos mais pobres, pelos cortes no orçamento dos programas sociais.

Na Europa, do mesmo modo, é saber se os bancos credores, que pertencem aos países ricos, junto com o Banco Central Europeu, aceitam pagar parte dos prejuízos dos países mais pobres ou se as populações desses arcarão com o peso maior do pagamento das dívidas, com um aperto fiscal que leve à redução drástica do gasto público e ao aumento de impostos. Ou, quem sabe, por uma mistura entre essas alternativas.

> **Um renovado espírito de colaboração internacional é a melhor receita para domesticar um sistema financeiro desgovernado e evitar o retorno a um protecionismo desastroso.**

As instituições financeiras globais devem ser fortalecidas e democratizadas. Banco Mundial, FMI e Banco de Pagamentos Internacionais precisam dispor de mais recursos e de um sistema de tomada de decisões que exprima o crescente poder dos países emergentes. A recente reunião do G-20 em Londres já é o reconhecimento dessa nova realidade geopolítica.

Um renovado espírito de colaboração internacional é a melhor receita para domesticar as disfunções de um sistema financeiro desgovernado e evitar o retorno a um protecionismo desastroso.

A redefinição da matriz energética, elemento-chave no enfrentamento do aquecimento global, é um ponto de interseção entre as agendas econômica e ecológica. O tema da energia limpa e renovável se desdobra em questões culturais mais amplas, como mudanças de estilo de vida e padrões de consumo.

A crise gerou uma tamanha desvalorização de ativos que, provavelmente, o mundo terá que conviver por alguns anos com taxas de crescimento reduzidas. Ajustes penosos terão que ser feitos por todos. A próxima década poderá ser um tempo de aflições. Nesse contexto, ganha importância o debate sobre "qualidade de vida" e seu significado em diferentes culturas e sociedades.

Os *Elders* e a busca da paz entre árabes e israelenses

Em 2007 fui convidado por Nelson Mandela para integrar um grupo de líderes mundiais — *the Elders* — dispostos a colocar sua experiência e autoridade moral a serviço da promoção da paz e da busca de soluções para grandes problemas mundiais.

Uma das grandes prioridades para os *Elders* tem sido o esforço para relançar o processo de paz no Oriente Médio visando a uma paz justa e duradoura entre israelenses e palestinos.

Em 2009 liderei uma missão dos *Elders* ao Oriente Médio. Visitamos Israel e a Palestina. Há tempos a comunidade internacional tenta por todos os meios promover um acordo de paz, que ponha fim ao conflito com base na existência de dois Estados soberanos, ambos sediados em Jerusalém, com a aceitação das fronteiras existentes antes da guerra de 1967.

Uma solução pacífica, entretanto, não é simples. E as condições para viabilizá-la são hoje mais complexas do que eram em meados dos anos 1990, quando se firmaram os Acordos de Oslo, que previram a solução dos "dois Estados" e lançaram as bases legais da Autoridade Palestina, embrião do futuro Estado palestino. Atualmente, cerca de 50% dos territórios palestinos na Cisjordânia estão ocupados por assentamentos de colonos israelenses.

A Faixa de Gaza, de onde até recentemente os palestinos disparavam foguetes contra Israel, está submetida a um cerrado bloqueio. Mesmo o ingresso de alimentos depende da boa vontade do governo israelense. A alternativa são os túneis por onde passa o contrabando, não só de comida, mas também de armamento, que os israelenses dizem não estar diminuindo.

Na Cisjordânia, nos últimos anos, sob a justificativa de proteger os seus colonos de ataques terroristas, Israel vem construindo muros altíssimos ou eletrificados e inúmeras barreiras de vigilância. Os transtornos causados produzem um permanente estado de angústia e ódio nas populações palestinas. Para complicar, a política de colonização está sendo levada para dentro das cidades, como há pouco em Jerusalém, com a desocupação de casas habitadas por famílias árabes.

O governo de Israel justifica a política de ocupação alegando razões de segurança. Não apenas do Estado, mas dos cidadãos israelenses, ainda atemorizados com atentados de homens-bomba, patrocinados pelo Hamas, em anos passados.

A ascensão do Hamas, além de aumentar a percepção de risco à segurança de Israel e dos israelenses, produziu dois interlocutores do lado palestino, que se antagonizam internamente e não falam a mesma linguagem nas suas relações externas em geral e com Israel, em particular.

Dois elementos podem mudar o quadro em favor da paz entre árabes e israelenses: a pressão internacional e a reação das pessoas comuns convencidas de que há que recriar um horizonte de esperanças.

O Fatah, herdeiro de Yasser Arafat, tem relativa autoridade sobre territórios ocupados por Israel na Cisjordânia, reconhece o Estado de Israel e repudia práticas terroristas, que adotou no passado. O Hamas controla Gaza, não reconhece Israel e vê resistência onde os israelenses enxergam terrorismo.

Shimon Peres, ex-primeiro ministro e hoje presidente de Israel, a quem conheço e admiro, aponta essa cisão interna como um dos grandes obstáculos à paz, tanto maior pelo apoio que Irã e Síria emprestam ao Hamas.

Peres refuta a acusação de que haja um cerco israelense a Gaza. Afirma haver fornecimento regular de comida, o que é

referendado pelo presidente da Autoridade Palestina, Abu Ab
bas, ligado ao Fatah. E diz ser frequente o atendimento a habi-
tantes de Gaza em serviços de saúde de Israel.

Nesse contexto, como manter as esperanças na solução do
conflito? Há dois elementos que podem mudar o quadro em
favor da paz. O primeiro é a pressão internacional, liderada
pelos Estados Unidos, se for suficientemente forte para levar os
contendores à mesa de negociação. Por outro lado, há indica-
ções de que a solução dos "dois Estados" poderia ser aceita pelo
Hamas.

O segundo e principal elemento é a reação das pessoas comuns, movidas por um misto de ceticismo, pelas inúmeras
tentativas fracassadas e pela necessidade de crer que algo deve
ser feito para recriar um horizonte de esperanças. Conversamos, sem exagero, com centenas de cidadãos palestinos e
israelenses.

Vimos em Bil'in a resistência pacífica dos palestinos, em
cujas terras passaria um muro. Mas vimos, também, um exemplo de cooperação em nível local, entre Wadi Fukin, aldeia
palestina, e Tzur Hadassah, aldeia israelense vizinha, ambas
abeberando-se das mesmas fontes de água. E ouvimos vozes
jovens, ora vítimas dos foguetes palestinos, ora das coerções
israelenses, com a firme disposição para um "basta!".

Conhecemos empresários israelenses que investem e estão
dispostos a investir mais na Cisjordânia. Em suma, procura-
mos identificar e valorizar elementos subjetivos e objetivos que
tornam a paz um sonho possível.

A discriminação contra a mulher

Por iniciativa de *Elders* como Mary Robinson, Graça Machel e
Gro Brundtland, temos buscado dar visibilidade ao combate
contra todas as formas de discriminação contra a mulher com

base em preceitos de ordem religiosa ou tradicional. Em particular, denunciamos a prática generalizada em vários continentes das mutilações genitais e dos casamentos forçados, que negam a liberdade e a dignidade das mulheres.

A erradicação dessas práticas, que justificam a violação de direitos humanos em nome da religião ou da tradição, não pode ser imposta de fora para dentro ou de cima para baixo. Implica mudanças de valores e comportamentos, vale dizer uma mudança de cultura.

Os *Elders* têm buscado promover uma abordagem construtiva, um processo de diálogo e persuasão junto a líderes religiosos e tradicionais visando a quebrar o tabu que impede a discussão desses temas e a fortalecer os atores locais de mudança.

O tema das drogas

Nos três últimos anos dediquei uma parte importante do meu tempo e energia à busca de formas mais humanas e eficientes para lidar com o problema das drogas.

O tema é particularmente delicado. Na grande maioria dos países drogas é uma questão envolta em medos e preconceitos. Interessei-me pelo assunto pelo ângulo da democracia. Em países como Colômbia e México, a violência e a corrupção, associadas ao narcotráfico, corroem as instituições e ameaçam o próprio Estado de direito. No Brasil, inúmeros jovens continuam a matar e morrer numa guerra inútil e sem fim.

Diante da gravidade da situação e do silêncio que pesava sobre a questão, tomei a iniciativa de convocar, junto com os ex-presidentes César Gavíria, da Colômbia, e Ernesto Zedillo, do México, uma Comissão Latino-Americana sobre Drogas e Democracia. No ano passado estendemos a iniciativa ao âmbito internacional com a criação de uma Comissão Global sobre Política de Drogas, por mim presidida.

Visitamos diferentes países, conversamos com pesquisadores e especialistas em segurança e saúde pública, ouvimos a voz de vítimas das drogas e das políticas repressivas e chegamos à conclusão de que a chamada "guerra às drogas", defendida pelos Estados Unidos, é uma guerra perdida. A repressão por si só não foi capaz de reduzir a produção de drogas.

Drogas é uma questão envolta em medos e preconceitos. Interessei-me pelo tema pelo ângulo da democracia, do risco de corrosão das instituições pela violência e corrupção associadas ao tráfico.

A estigmatização e o encarceramento dos usuários de drogas tampouco foram capazes de reduzir o consumo. Pior, a prioridade à punição dificulta o acesso ao tratamento e à reabilitação das pessoas dependentes de narcóticos. E a maioria dos dependentes quer se livrar das drogas.

A América Latina continua sendo a maior exportadora de cocaína e maconha. Milhares de jovens continuam a perder as vidas em guerras de gangues. Os barões das drogas dominam comunidades inteiras por meio da violência e da intimidação.

Diante dessa evidência, o relatório de nossa comissão propôs o que chamamos uma "mudança de paradigma" no enfrentamento da questão. Ao longo da história, sempre existiu algum tipo de consumo de droga nas mais diversas culturas. No mundo de hoje, as pessoas usam drogas pelas mais variadas razões: para aliviar dores ou experimentar prazer, para escapar da realidade ou para incrementar sua percepção.

O tráfico global de drogas é um dos negócios mais lucrativos do mundo e continuará a existir enquanto houver demanda. Em vez de aferrar-se a políticas fracassadas que não reduzem a lucratividade do tráfico — e, portanto, o poder do crime organizado — precisamos redirecionar nossos esforços para a redução do consumo de drogas e do dano que as drogas causam às pessoas e à sociedade.

Essa abordagem mais abrangente e equilibrada recomendada no informe da comissão, no entanto, não significa complacência. As drogas são prejudiciais à saúde. Minam a capacidade dos que as usam de tomar decisões. O compartilhamento de agulhas dissemina o HIV/Aids e outras doenças. O vício pode levar à ruína financeira e ao abuso doméstico, especialmente de crianças.

Analisamos as experiências de vários países, como Suíça, Portugal e Espanha, que vêm dando prioridade à prevenção e ao tratamento, ao mesmo tempo em que reorientam a ação repressiva da polícia e da justiça para combater o verdadeiro inimigo, que é o crime organizado.

Esses países descriminalizaram a posse de drogas para consumo pessoal. Em vez de registrar-se uma explosão no consumo de drogas, como muitos temiam, houve aumento no número de pessoas em busca de tratamento e o uso de drogas em geral caiu.

Afirmamos nossa convicção de que droga é menos um problema de polícia, e mais um problema de saúde pública. Os usuários de drogas que não causam dano a outras pessoas devem ser tratados como pacientes que precisam de cuidados médicos, e não como criminosos a serem encarcerados.

Muita gente me pergunta por que não tomei na Presidência as medidas que estou propondo agora. A resposta é simples. Eu mudei de opinião. Na Presidência não dispunha das informações que tenho hoje e compartilhava da visão predominante de que o problema das drogas se resolvia sobretudo com repressão.

Droga não é um problema de polícia, e sim de saúde pública. O dependente de drogas que não causa dano a outras pessoas não precisa de cadeia, e sim de tratamento.

É verdade que um ex-presidente tem mais liberdade para falar sobre temas controversos. Estou convencido de que questões que envolvem valores e comportamentos devem ser em primeiro lugar discutidas pela sociedade. Claro que chega o momento em que as decisões passam para governos e parlamentos. Mas é preciso primeiro que a sociedade pense e reflita sobre elas. Meu papel é ajudar na ampliação desse debate.

A sociedade tem de discutir e formar opinião. É esse debate que abre espaços políticos e gera convergências de pensamento. Se a questão for direto para o Congresso, virá restrição. É assim com a droga, com o aborto e o casamento homossexual.

Questões que envolvem valores e comportamentos precisam ser discutidas primeiro na sociedade. Meu papel é ajudar nesse debate. Com sinceridade, pois ela é que comove a população, e não a hipocrisia.

Acho ótimo que o tema das drogas seja amplamente discutido pela sociedade, sem medos nem preconceitos. É o que está acontecendo no Brasil, mais um sinal de nossa contemporaneidade.

Imagino que há gente que vai estar de acordo, outros que vão achar que teria sido possível ir mais longe e, certamente, outros que vão achar que estou sendo por demais audacioso. Ótimo Em sociedades abertas e democráticas a opinião pública se forma nesse entrechoque de ideias.

É preciso ser claro e sincero: todas as drogas causam danos, embora de alcance diferente. Adianta botar na cadeia os drogados?

Há casos nos quais a regulação vale mais do que a proibição: veja-se o tabaco e o álcool, ambos extremamente daninhos. São não apenas regulados em sua venda e uso (por exemplo, é proibido fumar em locais fechados ou beber depois de uma festa e sair dirigindo) como estigmatizados por campanhas publicitárias, pela ação de governos e das famílias.

Não seria o caso de fazer a mesma coisa com a maconha, embora não com as demais drogas, muito mais danosas, e concentrar o fogo policial no combate aos traficantes de drogas pesadas e de armas?

Repito, minha posição não é de tolerância com as drogas. Todas fazem mal à saúde. Umas mais, outras menos. O ponto central é que a repressão ao tráfico, que é absolutamente necessária, por si só não resolve o problema do consumo.

A rejeição e o medo levam a uma lógica de guerra que, por sua vez, realimenta a violência e a corrupção. A compaixão e o acolhimento levam a um maior investimento em informação, prevenção, tratamento e reabilitação.

Se ainda não estivermos convencidos, pelo menos não fujamos da discussão, que já corre solta na sociedade. Sejamos sinceros: é a sinceridade que comove a população, e não a hipocrisia, que pretende não ver o óbvio.

Luzes e sombras

Cada um tem que inventar sua resposta. Dar
sentido a sua vida. A vida, em si, não tem sentido. Cada um tem que construir o seu sentido.
E vai sofrer para encontrar.

Mistério e sentido

Alegria e tristeza

Minha maior alegria pessoal foi ter sido eleito duas vezes presidente. Na verdade, a alegria política é que eu fiz muita coisa pelo Brasil.

Quando você chega lá, ou faz muita coisa ou não faz nada. Minha alegria é que mudei muita coisa. Minha intenção é continuar fazendo coisas por aí.

Minha maior tristeza política é não ter conseguido fazer tudo o que queria e haver tentado mexer demais em várias coisas ao mesmo tempo, quando talvez não fosse a tática adequada. Mandei ao Congresso tantas reformas estruturais que foi difícil tocar.

Talvez também devesse ter desvalorizado a moeda antes de 1999. Nosso sistema cambial deixou de ser fixo, era flutuante, mas flutuava pouco. A certa altura mudei a política, mas poderia ter feito antes. Talvez em janeiro de 1997, antes da crise da Ásia. Se tivesse feito, teria evitado a crise de janeiro de 1999. O mercado foi quem acabou tomando a decisão por nós.

Orgulho e arrependimento

Do que mais me orgulho é da minha família. Tenho um apoio tão forte, já tinha da Ruth e tenho dos meus filhos. Em todos os momentos da minha vida, o que não é fácil. Meus filhos me ligam incessantemente e vêm aqui, se preocupam.

O que me dá a possibilidade de viver com independência e vigor é esse apoio enorme da minha família e dos amigos de muito tempo. Isso é absolutamente precioso.

Arrependimento? Só se for na política... Como já disse várias vezes, é conveniente ter a noção de que não dá para fazer tudo de repente. Acho que forcei demais para mudar a previdência e isso me custou muito caro. Não precisava ousar tanto. Assustamos muita gente, quando o que queríamos era salvaguardar o sistema previdenciário.

Nós queríamos endireitar o Brasil. Não dá para mudar tudo de repente. Eu podia ter sido mais suave. Teria me desgastado menos e talvez tivesse conseguido mais.

Nós queríamos endireitar o Brasil todo e de uma vez. Não é assim. Eu podia ter sido mais suave, me desgastaria menos e talvez tivesse conseguido mais.

Tenho orgulho também de decisões que, a meu ver, marcaram pontos de inflexão para melhor na cultura política brasileira. Um bom exemplo é a maneira pela qual, ao fim do meu mandato presidencial, organizei a transição para o governo Lula.

Na questão da sucessão, da transmissão do poder ao Lula, as coisas se passaram da seguinte maneira: eu não sabia quem ia ser o sucessor, mas achava que, no Brasil, o processo de sucessão não podia continuar a ser feito como era.

Criamos então um conjunto de regras para institucionalizar e garantir a sucessão democrática. Fizemos com que 70 pessoas da equipe do presidente eleito fossem designadas para ter acesso ao serviço público, sendo que o coordenador dessa equipe de transição teria status de ministro para lhe conferir poder.

Cada ministro do meu governo foi instruído a preparar um relatório sobre o que estava previsto para ser feito nos cem dias posteriores. Isso foi de muita valia no Ministério da Fazenda, onde o Antônio Palocci levou a coisa a sério. Isso gerou um sentido profundo de continuidade institucional. Tudo isso foi pensado, foi planejado e foi feito. Com um grande impacto simbólico, na medida em que a eleição tinha sido ganha por um opositor, e que opositor!

Coisas assim vêm para ficar e aperfeiçoam a democracia. Por isso fiquei tão emocionado ao passar a faixa presidencial para o Lula. Achei que era um momento importante da história brasileira. Eu esperava que daí para a frente as coisas acontecessem de um modo democrático.

Infelizmente, por uma decisão não sei de quem, o PT resolveu considerar que nós éramos os piores adversários. O José Dirceu disse que eu devia cuidar dos meus netos. Dei uma nota de resposta dura pelos jornais. Depois o Dirceu me ligou para pedir desculpas.

O Lula me atacou muito, falaram de herança maldita e tal. Ou seja, jogaram fora a oportunidade de um convívio democrático mais construtivo para o país, que permitisse uma maior convergência. Foi certamente uma decisão eleitoreira que levou a política para o terreno mais pobre que é o da guerra contra o adversário para manter o poder. Vamos desconstruir tudo o que esse cara fez.

Não conseguiram. A celebrações dos meus 80 anos foram, de certa maneira, o reconhecimento histórico do que nós fizemos. Devo também reconhecer que a presidente Dilma Rousseff teve um papel importante na mudança desse padrão.

A eleição do Lula foi um momento importante na história brasileira. O modelo de transição que implantei veio para ficar. Mudou a cultura política, aperfeiçoou a democracia.

O poder presidencial é tão grande que quando a Dilma me mandou uma carta de felicitações, e nos termos em que a escreveu, esse gesto abriu as comportas para que outros, inclusive vários ministros, se sentissem mais à vontade para dizer o que eles acham, libertando-se da ideia maligna da herança maldita.

O Brasil deve a Dilma a mudança para uma convivência democrática no lugar da insolência, da arrogância, do só eu sei e fiz, o outro não sabe e não fez nada. Quem ganha é o Brasil.

Indignação

No plano pessoal, o que mais continua a me indignar é tratar mal — deixa eu usar uma expressão aceitável — os que são desiguais. Os que têm uma posição superior tratarem mal os que não a têm provoca em mim uma reação imediata. Isso é inaceitável para mim.

Diria que é até mais inaceitável presenciar um gesto de intolerância ou discriminação do que olhar para a desigualdade na sociedade como um todo. É claro que sou contra a desigualdade na sociedade e que ela deve ser reduzida.

Mas o que me provoca uma indignação imediata é a manifestação concreta da injustiça. Temos que aceitar o ser humano como igual. O desrespeito à lei, por exemplo, é uma injustiça na medida em que trata o ser humano como desigual. Ver bandidos soltos, no Brasil, por exemplo, é uma coisa que me indigna fortemente, principalmente os de colarinho branco.

Tratar mal os desiguais é, para mim, inaceitável. Sou contra a desigualdade em geral, mas o que me provoca indignação é a manifestação concreta da injustiça.

Como me indigna também a violência, que não é outra coisa que a imposição da lei do mais forte. E, portanto, no limite, a guerra. Há guerras para as quais podemos buscar justificativas. Mas a guerra em si é uma violência inaceitável, porque é a imposição da lei do mais forte. É o predomínio da força no lugar da justiça. Não me conformo com isso.

Religiosidade e mistério

Foi quando vim com minha família para São Paulo que me tornei muito católico. Isso quando eu tinha 9 anos. Meu pai não sabia rezar. Era positivista de formação, embora tolerante. Minha avó, que me influenciou em muitas coisas, sempre foi muito cética, agnóstica mesmo. E isso em uma mulher nascida em 1870.

Minha mãe tinha formação religiosa, mas confusa, misturada, como é a da religiosidade brasileira.

Com o passar dos anos vamos percebendo que a razão explica muita coisa mas não explica tudo. Há coisas inexplicáveis.

Ela sofria influência protestante pelo lado do pai, mas estudou em colégio de freiras. Nunca foi religiosa, católica, num sentido mais estrito.

Eu fui muito católico. Fiz primeira comunhão, andava com escapulário, rezava de maneira obsessiva, fazia penitência, rezava ajoelhado em milho. Minha irmã, um ano mais moça do que eu, antes de dormir não rezava o rosário inteiro, só um terço, o que me irritava profundamente...

Tive uma fase, portanto, bastante religiosa. Isso seguiu até aí por volta dos 14 anos. A Ruth era de formação católica. Quando a conheci, voltei a ir à missa com ela. Depois fomos por outros caminhos.

Vivi a perda da religiosidade sem dor. Por intermédio da literatura, de alguma maneira substituí esse tipo de interrogação por, digamos, outros tipos de angústias, mais humanas e, por isso mesmo, mais facilmente solúveis, e convivi bem com o trânsito para a perda da crença. Sem dramas ou traumas.

Houve uma época, no fim da adolescência, na entrada da universidade, em que fui muito adepto de explicações materialistas. Hoje tenho uma atitude de maior humildade perante essas questões.

Com a maturidade, o passar dos anos, você vai ficando mais preocupado. É natural. Primeiro, porque você vai ter perdas, perder pessoas, segundo porque você se dá conta de que há coisas que não dá para explicar nem entender. Eu já não consigo entender quando as pessoas falam de buraco negro, antimatéria, singularidades, big bang, que dizer de perguntas essenciais sobre para onde vamos ou de onde viemos.

Estamos condenados ao mistério. Daí a busca de algo que explique o inexplicável. A gente sabe que vai morrer, mas vive como se fosse eterno.

Há coisas inexplicáveis. A origem do mundo, o destino de cada um, o sentido da vida. Não sabemos. A religião é a busca de respostas para isso. Como explicar o que não posso explicar nem pelos meus sentidos nem pela minha razão? Apela-se para o mistério, para Deus.

Eu não afastaria a espiritualidade como se fosse um materialista empedernido que acredita que a razão explica tudo e que a linguagem do universo está escrita com uma gramática da matemática que pode ser desvendada. Duvido um pouco disso.

Seria, na verdade, uma arrogância dizer, não, eu sou capaz de explicar tudo pela razão. A razão explica muita coisa, mas não explica tudo. Não explica nem a gente. Daí a busca de algo que explique o inexplicável.

Eu nunca fui dado a análises psicanalíticas, mas é óbvio que há muito coisa que a razão não explica e quando se olha a psicanálise há muita coisa nela que também não é científica. É como o horóscopo, os tupinambás com seus xamãs, toda sociedade acaba tendo seus intérpretes do misterioso.

Nas sociedades que têm a pretensão oficial de ser totalmente laicas, materialistas, acaba sendo o Estado quem explica tudo. O que, mais do que um mistério, é uma mistificação. Essas sociedades impõem uma pseudoexplicação que não explica nada.

Numa famosa entrevista na campanha para prefeito de São Paulo me perguntaram se eu acreditava em Deus. Eu disse mais ou menos isso que estou dizendo agora, não tenho a pretensão de ter resposta para esse tipo de questão.

O Montoro, preocupado, veio falar comigo e me aconselhou: você não precisa dizer que acredita na forma humana de Deus. Recentemente, o próprio papa Bento XVI acaba de dizer que o inferno é um estado de espírito. Não tem diabinho cutucando com tridente e atiçando o fogo...

Os que estão vivos e os mortos

No fundo estamos condenados ao mistério. As pessoas dizem, eu gostaria de sobreviver além da minha materialidade... Eu não acredito que vá sobreviver, mas, pelo menos na memória dos outros, você sobrevive.

Vivi intensamente isso com a perda da Ruth. Olhando para trás, é claro que ela estava com um problema grave de saúde. Apesar disso fizemos uma viagem longa e fascinante à China. É como se o problema não existisse. A gente sabe que um dia vai morrer e no entanto vive como se fosse eterno.

Depois da morte da Ruth e, mais recentemente, de outros amigos, como Juarez Brandão Lopes e Paulo Renato, eu me habituei a conversar com os que morreram. Não estou delirando. Os mortos queridos estão vivos dentro da gente. A memória que temos deles é real.

À medida que vamos ficando mais velhos, convivemos cada vez mais com a memória. Conversamos com os mortos. Por intermédio da Ruth, passei a lembrar mais dos outros que morreram, dos meus pais, meus avós. Os que morreram e nos foram queridos continuam a nos influenciar. O que não há mais é o contrário. Não podemos mais influenciá-los.

Eu não penso na morte. Sei que ela vem. Já senti a morte de perto. Não em mim. Senti a morte de perto nos meus. E procuro conviver com ela através da memória.

Os que se foram continuam na minha memória e eu converso com eles. Minha mãe, meu pai, minha avó, minha mulher, meu irmão, meus amigos que se foram são meus referentes íntimos. Tudo isso constitui uma comunidade — posso usar a palavra — espiritual, que transcende o dia a dia.

Os mortos queridos vivem dentro de nós. Os que morreram continuam a nos influenciar. Nós é que não podemos mais influenciá-los.

Então, a morte existe, ela é parte da vida, é angustiante, não se sabe nunca quando ela vai ocorrer. Eu só peço que ela seja indolor. Não sei se será.

Ninguém sabe como e quando vai morrer. Pessoalmente, tenho mais medo do sofrimento que leva à morte do que da morte propriamente dita.

Se não é possível ter a pretensão utópica de sobreviver como pessoa física, é possível ter a aspiração de viver na memória, começando por conviver com a memória dos que se foram. Isso tem alguma materialidade? Nenhuma. Isso é científico? Não é. Mas é uma maneira de você acalmar sua angústia existencial.

Sentido da vida

Aos 80 anos creio que cada um cria o sentido de sua vida. Não há um único sentido. Isso é muito dramático. Cada um tem que tentar criar o seu sentido.

Nesse ponto os existencialistas têm razão. É muito angustiante. Tem uma dimensão da existência que é inexplicável. Ou você consegue conviver com isso no dia a dia sem apelar para a transcendência — digo no dia a dia porque, de vez em quando, todo mundo apela... — ou você tem que criar algum sentido para justificar, se não explicar, o sentido das coisas.

Eu criei, imagino que sim. Achei que devia ter uma ação intelectual para entender e para mudar o Brasil.

Na verdade é isso que eu queria, mudar as condições de vida no Brasil. A literatura me influenciou muito, sobretudo a nordestina, José Lins do Rego, Graciliano Ramos, Jorge Amado. Depois as *Vinhas da ira*, de John Steinbeck, sobre a revolta social na América da Grande Depressão. Ou mesmo Roger Martin du Gard com *Os Thibault* e, já noutra direção, André Gide e, também, a metafísica de *A montanha mágica*, de Thomas Mann. Esse caminho da literatura me contagiou e me levou à política.

Passei a vida inteira tentando entender melhor a sociedade, os mecanismos que podem levar a uma sociedade mais decente, como digo hoje, não apenas mais rica, e sim mais decente.

Tem que haver, é claro, algum grau de riqueza, senão a miséria, a escassez, predomina e então não se tem nem liberdade nem igualdade. A escassez é a luta, a guerra pela sobrevivência. Tem que haver um certo bem-estar material. Além disso, porém, é preciso criar uma condição humana de dignidade, de decência, de aceitação e respeito pelo outro.

Tentei entender isso do ponto de vista intelectual e fazer a mesma coisa do ponto de vista político. Então acho que dei um certo sentido à minha vida. Esse sentido tem que ser dado por cada um. Não está dado que todos tenham que ter o mesmo sentido e haverá quem nunca encontre sentido na vida e fique batendo cabeça.

Cada um tem que construir o sentido para sua vida. Para mim foi a ação para entender e mudar o Brasil. Do ponto de vista intelectual e político.

Essa angústia vai ser permanente. Não tem solução. É parte da condição humana. Não sabemos de onde viemos, não sabemos para onde vamos. Tampouco sabemos por que e para que estamos aqui. O que não podemos é deixar que essa angústia da morte e da ausência de um destino claro nos paralise.

Cada um tem que inventar sua resposta. Cada um tem que dar sentido à sua vida. Ela não tem sentido em si. Esse sentido não está dado. Cada um tem que construir o seu sentido. E vai sofrer para encontrar.

Uma resposta está no próprio convívio com os outros. Inclusive com os mortos. Talvez isso arrefeça um pouco a angústia. Não se vive sem amizade, sem amor, sem adversidade.

Quando se vai ficando mais velho e, portanto, mais maduro, você tem que valorizar mais a felicidade, a amizade, essas coisas que, no começo da vida, parecem secundárias. Você continua querendo mudar o mundo, mas sabe que as pessoas contam.

Embora eu tenha sempre me definido mais como intelectual do que como político, na verdade minha vida foi muito mais dedicada ao público. Isso vem da minha ancestralidade, da minha convivência familiar.

A angústia é parte da condição humana. Não se pode deixar que a angústia da morte nos paralise. A resposta está no convívio com os outros. Não se vive sem amizade, sem amor, sem adversidade.

O sentido, para mim, sempre consistiu em buscar fazer alguma coisa que mude a situação mais ampla do que a minha própria. Nunca fui uma pessoa voltada em primeiro lugar para alcançar o meu bem-estar. Eu tenho bem-estar. Diria que quase sempre tive bem-estar. Mas esse não foi o meu valor.

Mesmo em termos subjetivos, a ideia de felicidade, nunca busquei com denodo a felicidade pessoal. Eu a tive de alguma forma, nunca me senti infeliz. Eu me dediquei muito mais a ver a situação dos outros. De uma maneira modesta, sem proclamar. Nunca andei proclamando, sou solidário, sou do bem. Mas levei a vida inteira pensando no mundo, pensando na sociedade, pensando nas pessoas, nos outros. O sentido que dei à minha vida foi construir isso.

Mais sociólogo do que antropólogo

Talvez o que possa justificar, para mim mesmo, que tenha sido presidente é que era uma maneira de realizar essas coisas. Se eu olhar retrospectivamente, diria que a vida inteira busquei fazer algo que não fosse apenas para mim mesmo, que tivesse um sentido público. Isso é um modo de ser.

Há os que se dedicam a si mesmos, à sua felicidade ou à felicidade concreta de A, de B ou de C. Eu não funciono na tecla do particular. Funciono na tecla do universal. Raramente, aliás, me refiro a coisas muito individualizadas. Sou mais sociólogo do que antropólogo.

Geralmente as pessoas que são mais apreciadas pelo seu sentido humano vão mais para o particular. Se eu tenho alguma coisa de humanidade — e é evidente que tenho — é pensando mais no universal. Portanto, sou intelectual.

O intelectual é quem pensa no universal. Mas não sou um intelectual puro. O intelectual puro não pensa, parafraseando, no "universal concreto", pensa em ideias. Eu dificilmente raciocino a partir de ideias. Raciocino a partir de situações.

Sempre tive muita dificuldade com sistemas teóricos. Nunca acreditei muito neles. Talcott Parsons, por exemplo, nunca me atraiu. O Marx de que eu gosto — claro que gosto do *Capital* — é o do *Dezoito Brumário*. Gosto do Tocqueville. O que eu gosto, portanto, é de situações, história. As estruturas existem, mas não só elas contam.

O que sempre me interessou foi fazer a sociologia do emergente, captar e buscar entender o novo, o que está surgindo. O sentido que dei à minha vida foi tentar perceber o que vem de novo por aí. Não me preocupo muito com o que já está. Me interessa o que vem vindo.

A curiosidade é o que me move. Eu já sei o que está aí. O desafio é descobrir o que vem vindo, o que implica incerteza.

O que sempre me interessou foi descobrir o que vem vindo, o que implica incerteza e, portanto, risco de não acertar. Nunca tive medo de arriscar.

A ciência lida com regularidades. Eu procuro lidar com o que não é regular, que não é, portanto, propriamente científico. Tem algo de intuição, de *insight*. Pode ser que sim, pode ser que não.

Um grande pintor, por exemplo Picasso, inova, lida com incertezas, experimenta, inova, abre caminhos. Quando se lida com incertezas há um enorme risco de não acertar. E de ser criticado. Porque mesmo que você esteja certo na sua aposta, até que os outros a entendam vão criticar, vão se opor.

Sempre fui desse jeito. Nunca tive medo de arriscar. Nesse sentido, não preciso de muletas para sobreviver. Isso implica também ter autoconfiança para poder, em certas circunstâncias, avançar sozinho.

O que dizer aos jovens

É muito difícil saber o que dizer aos jovens. Porque os jovens não vão ouvir. Hoje o que eu disser, o que qualquer um disser, terá um peso relativo. Os jovens vão querer descobrir por eles próprios.

São os jovens de hoje que têm que dizer a nós. Eles estão tão ligados, tão conectados, sabem tanta coisa. Acho que quem tiver a aspiração de dizer aos jovens já é velho. Tem que ouvir os jovens e dizer com eles.

Por isso é que, no mundo contemporâneo, como já disse, não há mais *maître à penser*. Claro que eu vou tentar dizer algo aos mais jovens. Escrevi um livrinho, *Cartas a um jovem político*, para aqueles com vocação política. Mas acho que vai servir mais aos políticos do que aos jovens. O grosso da juventude vai descobrir por ela mesma.

Nesse momento de ruptura, de transição, de incerteza, em que não há mais regras, eu não me preocuparia em falar para os jovens, e sim em ter tolerância com as ideias dos jovens, que são disparatadas.

Por exemplo, no meu relacionamento com os meus netos, eu me comporto como se fosse uma criança. Brinco com eles, invento histórias, prego peças o tempo todo. Eles não me levam a sério. O que é ótimo. Não quero ser levado a sério por eles. Acho que essa é a única maneira que tenho de não tolhê-los na sua espontaneidade.

Meus netos têm uma boa relação comigo porque não sou o avô que dá a lição. Não sou o sábio. Sou o avô quase infantil. Que fala bobagens. Eles vão perguntar aos pais se é verdade o que eu disse. A melhor maneira de se relacionar com os jovens é deixar que eles sejam jovens.

É possível falar para os jovens? Eles hoje estão tão ligados, sabem tanta coisa. Quem tiver a aspiração de dizer algo a eles já é velho. Tem que ouvir os jovens e dizer com eles.

De uma maneira mais geral, acho que, no mundo de hoje, mandar, dar ordens, vai continuar a existir, mas de outra forma. Há que tentar sempre, ao convencer, também se deixar convencer um pouco pelo outro.

Com os jovens, então, nem se fala. Eu procuraria ouvir ao máximo os jovens para tentar entendê-los, pois a barreira é enorme, começando pela tecnologia, que eles dominam muitíssimo melhor do que nós.

Como gostaria de ser lembrado

Será que serei? Como conheço bastante história, não sei se vou ser lembrado. Imaginemos daqui a cem anos.

Imaginemos que eu possa vir a ser lembrado. Por algum historiador. Ele vai dizer: ele fez isso, fez aquilo etc. O julgamento que interessa para um intelectual ou para um político é o da história. Mas você vai estar morto. Então já não interessa tanto...

Se o julgamento for mais próximo, ainda vão se lembrar. Pôs fim à inflação, é verdade. Não prendi ninguém, não fui violento, fui democrático, valorizei as instituições e sempre procurei melhorar a vida dos mais pobres.

Aumento do salário mínimo real, a estabilidade do real, as políticas sociais, isso já nem sei se vão lembrar, porque veio o Lula e o Lula fez tudo para que o que fiz fosse esquecido. Quis apagar a história para que ele aparecesse como o único fazedor de coisas. Como os estalinistas fizeram com as outras correntes revolucionárias. O meu partido não reagiu, nem eu. Não sei, portanto, se essa parte social vai ficar marcada, mas ela é verdadeira. Fiz o que pude.

Se me perguntarem como eu gostaria de ser lembrado, diria que sempre fui democrata. Em todas as circunstâncias de minha vida, fui democrata. Participei da vida política democraticamente. Exerci o poder democraticamente. Portanto, aceitando o outro. Negociando, buscando convencer, não impor, tentando que as transformações se fizessem com base em pontos de convergência.

Não prendi ninguém, não fui violento, exerci o poder democraticamente. E procurei sempre melhorar a vida dos mais pobres. Fiz o que pude.

Eu também tive coragem. A inflação acabou porque eu enfrentei a situação política. Não fui eu quem acabou. Foi um esforço conjunto, foi o país. Eu não era técnico nisso, mas fui eu que enfrentei os adversários. E para isso tinha que ter coragem. Em determinado momento, eu rompi com uma situação e ajudei a criar as condições para um futuro melhor do Brasil. Eu gostaria de ser lembrado como tendo feito isso.

Intelectualmente, como disse há pouco, tentei sempre ver o que vinha por aí. Meu livro mais famoso, que não é o melhor, *Dependência e desenvolvimento na América Latina*, tentava ver o que estava acontecendo com o mundo que se globalizava sem que eu soubesse bem o que era isso. Mas tentei ver.

Para o intelectual e o político o julgamento que conta é o da história. E esse só vem quando já se está morto. Por isso é bom a gente ser celebrado um pouco em vida.

No *Capitalismo e escravidão*, tentei entender melhor essa contradição. No livro que fiz sobre os empresários, procurei mostrar que a teoria da esquerda brasileira a respeito dos empresários estava errada. Os empresários já estavam aliados ao grande capital internacional e o grande capital não estava mais sustentando o latifúndio, o que naquele momento era novo.

Na vida intelectual, sempre tentei ver o que vem pela frente. Aí até é possível que isso fique registrado, porque os intelectuais gostam de registro. Na vida pública, o mais provável é que seja um ponto dizendo "governou de tanto a tanto". Pelo menos, espero, não terão base para dizer "foi um autocrata, não olhou para o povo".

Posso vir a ser lembrado por essas coisas e também pelo ângulo intelectual. Poucos intelectuais brasileiros, sobretudo da minha geração, terão tido uma presença espalhada pelo mundo como a que eu tenho e tive ao longo de 40 anos. Talvez algum traço disso venha a ficar.

Mas não tenho que ter preocupação, porque o que conta, para o político e mesmo para o intelectual de peso, é o julgamento da história. E esse só vem, em geral, quando já se está morto.

E tem mais, o julgamento muda. A cada momento da vida histórica, o julgamento é refeito. Veja o exemplo do Getúlio. A história vai repensando o tempo todo. Não há um único e definitivo julgamento. Há vários julgamentos, que vão variar de acordo com o tempo.

Por isso mesmo é que fico contente agora, ao celebrar meus 80 anos, que tanta gente tenha reconhecido e até exagerado meus méritos. Cheguei a me perguntar: será que morri? Normalmente só se celebra os que morreram. É bom a gente ser celebrado um pouco em vida.

De uns tempos para cá, tenho percebido, andando pela rua, que pessoas simples falam comigo e agradecem alguma coisa que eu possa ter feito. Isso dá um sentimento de satisfação. Não sei se se trata apenas de um sentimento de autocomplacência, vaidade, mas de uma alegria real e justificada pelo reconhecimento do que efetivamente fiz.

A soma e o resto*

Tomo de empréstimo o título de um livro de Henri Lefebvre, escritor francês que rompeu com o Partido Comunista em 1958 e publicou as suas razões para tanto nesse livro de 1959. Anos mais tarde, em 1967-1968, fui colega de Lefebvre em Nanterre, quando demos início — juntamente com Alain Touraine, Michel Crozier e com o então quase adolescente Manuel Castells — a uma experiência de renovação da velha Sorbonne, na área das ciências humanas.

Sempre gostei do título do livro de Lefebvre e agora, ao escrever estas linhas — sem nenhuma pretensão a devaneios psicanalíticos —, recordo-me também de que Lefebvre tinha uma grande semelhança física com meu pai. Mas o fato é que há momentos para fazer um balanço. No caso, Lefebvre descontava o que o Partido Comunista lhe tirara ou ele do mesmo e via o que sobrava: a experiência dramática das revelações que Nikita Kruchev fizera dos horrores stalinistas, somada à invasão da Hungria, provocou uma remexida crítica na intelectualidade europeia, que não deixou de afetar a brasileira e a mim próprio.

Hoje, ao completar 80 anos, diante do fato inescapável de que o tempo vai passando e às vezes não deixa pedra sobre pedra, eu, que não sou dado a balanços de mim mesmo (nem dos outros), senti certa comichão para ver o que resta a fazer e a soma das coisas que andei fazendo.

Mas não se assuste o leitor: o espaço de uma crônica não dá para arrolar o esforço de oito décadas para tentar construir algo na vida, quanto mais para listar o muito de errado

---

* Artigo publicado em 18 de junho de 2011 nos jornais *O Globo* e *O Estado de S. Paulo*.

que fiz, que pode superar as pedras que eventualmente tenham ficado de pé. Além do mais, prefiro olhar para a frente a mirar para trás.

Quando algum repórter me pergunta o que acho que ficará de mim na História, costumo dizer, com o realismo de quem é familiarizado com ela, que daqui a cem anos provavelmente nada, talvez um traço dizendo que fui presidente do Brasil de 1995 a 2002.

Ao completar 80 anos, senti uma comichão para ver o que resta fazer e a soma das coisas que andei fazendo.

Quando insistem em que fiz isso ou aquilo, outra vez o meu realismo — não pessimismo nem hipocrisia de modéstia — pondera que, no transcorrer da História, quem sobra nela é visto e revisto pelos pósteros ora de modo positivo, ora negativo, dependendo da atmosfera reinante e da tendência de quem revê os acontecimentos passados.

Portanto, melhor não nos deixarmos embalar pela ilusão de que há pedras que ficam e que serão sempre laudadas. Além do mais, dito com um pouco de ironia, se o julgamento que vale para os homens políticos e mesmo para os intelectuais é o da História, de que serve o que digam de nós depois de mortos?

Pois bem, se é assim, se o que vale é o agora, não tenho palavras para agradecer a tantos, e foram muitos, que se referiram a mim com generosidade nesse passado mês de junho. Mesmo sabendo, repito, da efemeridade dos juízos, é bom escutar pessoas próximas, não tão próximas e mesmo distanciadas por divergências procurarem ver mais o lado bom, quando não apenas ele, e expressarem opiniões que me deixaram lisonjeado e, a despeito do meu realismo, quase embalado na ilusão de que fiz mais do que penso ter feito.

Como não posso agradecer a cada um pessoalmente, nem desejo deixar de lado alguém, nem os muitos que me disseram pessoalmente palavras de estímulo ou as registraram por car-tas, e-mails ou na web, aproveito esta página de jornal para reiterar que não sei como exprimir o quanto a solidariedade dos contemporâneos me emocionou.

Não me posso queixar da vida. Vivi a maior parte do tempo dias alegres, mesmo que muitas vezes tensos. Assim como senti as perdas que fazem parte de sobreviver. Perdi muita gente próxima ou que admirava a distância nestes 80 anos. Pais, irmãos, mulher, amigos, amigas, companheiros de vida acadêmica e política.

Ainda agora, para que nem tudo fossem rosas, perdi às vésperas de meu aniversário um companheiro de universidade com quem convivi cerca de 50 anos, Juarez Brandão Lopes. E no momento em que escrevo estas linhas veio a notícia da morte de Paulo Renato Souza, companheiro, colaborador, grande ministro da Educação, colega de exílio.

As perdas, para quem está vivo, são relativas. Aprendi a conviver na memória com as pessoas queridas e mesmo com algumas mais distantes com as quais "converso" vez por outra no imaginário para reposicionar o que penso ou digo. Levo em conta o que diriam os que não estão mais por aqui, mas deixaram marcas profundas em mim.

Na soma, não cabe dúvida, mantive mais amigos do que adversários. Não sinto rancor por ninguém, talvez até por uma característica psicológica, pois esqueço logo as coisas de que não gosto e procuro me lembrar das que gosto e pelas quais tenho apego.

Sou um *homo politicus*. Por herança de meus pais e ancestrais, vivo a vida na tecla do serviço ao público, da pólis, e o público, hoje, não é apenas o brasileiro, mas tem uma dimensão global.

Por fim, para não escrever uma página muito água com açúcar, se me conforta ter tantos amigos e receber deles tanto apoio, e se prezo a amizade acima de quase tudo, devo confessar que, apesar de meu pendor intelectual ser forte, no fundo, sou um *homo politicus*. Herdado de meus pais e de algumas gerações de ancestrais, vivo a vida na tecla do serviço ao público, da pólis, e para mim o público hoje não é apenas o brasileiro, mas tem uma dimensão global.

Ou encontramos uma estratégia comum para a sobrevivência da vida no planeta e a melhoria das condições dos mais pobres ou haverá riscos de rupturas no equilíbrio ecológico e no tecido social.

Pode parecer "coisa de velho", mas o fato é que a esta altura da vida estou convencido, sem prejuízo das crenças partidárias e ideológicas, de que cada vez mais, como humanidade, como cidadãos e como seres nacionais, simultaneamente, nos estamos aproximando de uma época na qual ou encontramos alguns pontos de convergência, uma estratégia comum para a sobrevivência da vida no planeta e para a melhoria da condição de vida dos mais pobres em cada país, ou haverá riscos efetivos de rupturas no equilíbrio ecológico e no tecido social.

Não é o caso de especificar as questões neste momento. Mas cabe deixar uma palavra de advertência e de otimismo: é difícil buscar caminhos que permitam, em alguns temas, uma marcha em comum, mas não é impossível. Tentemos.

Vi tanta boa vontade ao redor de mim nestas últimas semanas que a melhor maneira de retribuir é dizendo: espero poder ajudar todos e cada um a sermos mais felizes e dispormos de melhores condições de vida. Guardarei as armas do interesse pessoal, partidário ou mesmo dos egoísmos nacionais sempre que vislumbrar uma estratégia de convergência que permita dias melhores no futuro.

Com confiança e determinação, eles poderão vir.

Referências

"Da política ao mapa da vida." Entrevista a Guilherme Malzoni Ribeiro, *Dicta e Contradicta*, número 3, junho de 2009.

"Em oito décadas, o Brasil melhorou muito." Entrevista a *O Globo*, 18 de junho de 2011.

"FHC chega aos 80 sem medo de ser feliz." Entrevista a Denise Rothenburg e Ullisses Campbell, *Correio Braziliense*, 17 de junho de 2011.

"Livre pensar é só pensar." Entrevista a Vicente Vilardaga, *Revista Alfa*, agosto de 2011.

"O arcabouço da democracia está montado. A alma, não." Entrevista a Malu Delgado e Marcelo de Moraes, *O Estado de S. Paulo*, 3 de julho de 2011.

"O provocador cordial: aos 80, FHC se reinventa." Entrevista a Fernando de Barros Silva, *Folha de S. Paulo*, 19 de junho de 2011.

Este livro foi composto nas tipologias Minion e Meta Plus,
e impresso em papel off-white no Sistema Cameron
da Divisão Gráfica da Distribuidora Record.